Pierre Drieu la Rochelle

Histoires déplaisantes

Journal d'un délicat
La duchesse de Friedland
L'agent double
Le souper de réveillon
L'intermède romain

Gallimard

Pierre Drieu la Rochelle est né à Paris en 1893. Il fut élève de l'École des sciences politiques avant d'être mobilisé et de prendre part aux combats de Charleroi et de Verdun, au cours desquels il fut blessé à plusieurs reprises. Après des poèmes — *Interrogation* (1917), *Fond de cantine* (1919) —, il publie en 1922 un essai, *Mesure de la France,* qui le rend célèbre. Hanté par la décomposition de la société, qu'il dépeint dans des romans comme *L'homme couvert de femmes* (1925), *Une femme à sa fenêtre* (1929), *Rêveuse bourgeoisie* (1937) ou *Gilles* (1939), il finit par chercher un recours dans des solutions politiques extrêmes. Ses derniers écrits, publiés après sa mort sous le titre de *Récit secret,* font un bilan lucide de cette aventure politique et aboutissent à une philosophie du suicide, qui éclaire en profondeur les raisons de sa mort volontaire, le 15 mars 1945.

NOTE DE L'ÉDITEUR

Ce recueil de nouvelles a été composé d'après le manuscrit original.

« L'intermède romain » est donné ici dans l'état où l'a laissé Pierre Drieu la Rochelle, qui considérait cette nouvelle comme inachevée.

Journal
d'un délicat

J'aime Jeanne dans ses défauts. Sa peau de gymnaste est mortifiée par trop de soins et d'ablutions, mais quand le désir est plus fort que l'horreur que je prends parfois de cet épiderme, je me dis : « Je l'aime, puisque mon amour est plus fort que ma haine. »

Elle a trop de muscles. Mais elle a des dents admirables.

J'ai bien mis deux ans à remarquer cette usure de sa peau. Fût-ce que je la désirais moins ? Je souhaite de ne la plus désirer du tout, et que ce ne soit pas pour en désirer une autre.

Pourtant je la désire encore, et en dehors de cette femme je désire encore des choses et des idées.

Par exemple, je désire le Parthénon. Il faut que je revoie le Parthénon.

Quand Jeanne et moi aurons-nous assez d'argent pour prendre le bateau grec ? Elle n'a pas vu ce miel. Je n'étais pas encore accointé avec elle quand j'y fus. Ce sera une joie de le lui montrer.

Je me demande si cette joie remplacera l'autre joie qui serait d'être seul pour voir le Parthénon. Seul, non par égoïsme, mais me dépouillant des autres, pour me dépouiller de ce moi qui ne vit plus que par une réaction d'habitude aux autres. Et qu'il n'y ait plus que cette pensée qui est un arbre dans l'univers.

*

Un homme lâche croit qu'il pourrait être brave. Est-ce qu'un homme brave — du moins à partir du jour où il a sauté le pas de la bravoure — croit qu'il pourrait être lâche ? Non, et toute la différence entre eux est là.

*

Le polythéisme apparent des Indiens et des Grecs masquait l'idée pure du divin qu'ils cultivaient dans le secret ; chez les Juifs, c'est le monothéisme, le personnalisme divin qui, engageant l'idée de Dieu dans quelque chose de trop particulier, de trop figuratif, la masquent. Mais il y a la Kabbale. Comme les Indiens du Vedanta, les Juifs de la Kabbale ont le sens de l'inaccessible et de l'inaltérable.

Pour atteindre à la vraie notion du divin, il faut perdre la vue d'un Dieu, si sublime qu'il soit.

Dans la Kabbale, les Juifs dépassent l'idée grossière de Dieu, qui se dissout dans plusieurs idées intermédiaires entre l'infini et le fini. Mais la Kabbale, si tardive, aurait-elle existé sans l'influence des hautes spéculations aryennes ?

Les sémites doivent tout le plus haut de leur religion à des peuples non sémites — Egyptiens, Sumériens qui ont inspiré les Chaldéens — et aux Aryens. Tout ce qui est dans la Kabbale se trouve déjà dans les Upanishads et dans les Gatta, dans Pythagore et dans Platon. La Kabbale, quand elle se forme deux siècles avant ou deux siècles après Jésus-Christ, puise à la fois dans les plus anciennes sources aryennes et dans la plus récente, la philosophie de Platon.

*

Il y a une ampleur de développement dans le cou et les épaules de Jeanne qui me la fait voir entre les colonnes de miel du Parthénon. Mais cette ampleur est encore contenue par ce qui lui reste de la modestie de la jeunesse.

*

Chaque matin quand je me réveille, je ricane, je m'assure que c'est ma dernière journée de travail. Je me répète : « Ce n'est pas possible, ce n'est pas moi qui suis un travailleur, un homme qui va à son bureau, si beau soit-il. » Car mon bureau est beau.

*

Je suis pétrifié dans ce charme de pierre qu'est Paris. J'y suis né ; sans doute j'y mourrai et je lui ai sacrifié les plus beaux paysages du monde. Quel effort il m'a fallu pour apercevoir un instant l'Amérique, l'Afrique et l'Asie !

Mais quand je dis que je me suis enchaîné par les chaînes les plus fines, est-ce que je ne tombe pas dans la fatuité, dans la fatuité dont je suis si dégoûté, la fatuité d'une foule ?

Il n'y a pas que la pierre, il y a les arbres, les arbres parmi la pierre, l'eau parmi les arbres.

*

Voici un peuple arrivé à sa maturité, qui sait qu'il a fait sa part, sa part terrestre, sa part humaine. Ce peuple cesse d'être humain : les uns partent vers un spirituel sans retour, les autres reviennent à l'animal.

★

Je regarde Jeanne remuer. Ces gestes d'une femme qui vit près de moi me fascinent, je suis étonné qu'une femme puisse vivre près de moi. Jamais une femme n'a habité chez moi. Tout au plus ont-elles passé quelquefois la nuit. Ou bien, je voyageais avec elles. En vrai débauché, j'ai toujours gardé une sorte de chasteté ; jamais une femme n'a pénétré, ne s'est installée dans mon for intérieur.

Il y a quelque chose que j'admire : c'est son contentement de vivre ; il y a quelque chose qui me choque et me met en méfiance : c'est son contentement de reclore sa vie sur moi, de s'arrêter à moi. Comment un être peut-il arrêter un autre être, à jamais ? Que je sois une fin pour Jeanne me dégoûte de moi autant que d'elle.

Mais je sais bien qu'au fond il ne s'agit ni de moi ni d'elle. Le détail de mon moi et de son moi comptent peu dans le travail de son instinct, il s'agit pour elle d'accomplir une fonction. Ce qu'elle essaie de faire avec moi, c'est un foyer.

★

Je surnommais Zulma, sans le lui dire, la plus belle femme que j'aie connue. Elle s'appelait Juliette Bouvard. Fille de paysans bourguignons, elle était née avec une beauté animale. Elle a maintenant soixante ans et je l'aperçois de temps à autre dans le quartier des Ternes : elle a gardé sa beauté animale. Sa substance semblait être sortie de la plus puissante matrice qu'il y ait jamais eue au monde ; ses os, sa chair, ses cheveux, ses dents avaient été faits avec les atomes les plus radieux. Ses fesses et ses seins étaient taillés dans l'or vierge, plastique et indissociable. Il y avait une force et une souplesse non pareilles dans ses mouvements. Quand elle riait, tous les oiseaux les plus libres se rengorgeaient.

Et cette merveille de vie était la stérilité même. A dix-sept ans, elle était venue à Paris et était allée tout droit s'enfermer dans une maison de prostitution. Un admirateur l'en avait tirée, que d'autres pendant vingt ans relayèrent. Mais elle était restée à jamais la prostituée de maison close, immobile, absorbant tout et ne rendant rien, volumineuse et opaque. Elle était tranquillement devenue riche et de bonne heure s'était retirée du commerce. Elle vivait seule dans un grand appartement avec des chiens et des chats.

A vingt ans on lui avait retiré les ovaires.

Je l'appelais Zulma à cause de cette immarcescible beauté brune et blanche, cette apparence de placidité orientale. Elle n'était pas insensible à l'amour physique et absorbait une nuit de plaisir comme un bon plat ; mais c'était avec les chats qu'elle faisait le meilleur ménage.

D'une minute à l'autre cette forte race s'était enfouie et perdue dans la mythologie parisienne, la plus spécieuse. L'ordre dans son appartement, une propreté maniaque entre le bain et les fards, le cinéma, un murmure de conversation avec ses chats et sa bonne, le reflet d'un diamant.

Parfaite claustration de l'égotisme, étanchéité totale de la jouissance la plus introvertie. Je passais quelquefois chez elle, non pas tant pour jouir de ses appas et faire l'amour avec Vénus de Milo qui n'a pas de bras pour vous retenir, mais pour contempler cette monstruosité impeccable.

Je me disais : Voilà le dessous de Paris, le dessous de ma vie.

★

J'ai un patron et j'ai livré ma vie à ce patron. Par distraction. Une distraction qui dure depuis des années. Car je pourrais m'en aller. Rien ne m'empêche de m'en aller.

Dîné et passé la soirée chez Frédéric. C'est à cause de sa religion que je le fréquente. J'aime à rêver avec lui sur la théologie chrétienne. Il est fort versé dans les Pères de l'Eglise et il connaît surtout très bien ces étranges Pères grecs qui ont introduit dans le christianisme une honorable partie de la métaphysique.

Frédéric a, comme la plupart de nos intellectuels, une culture étroite et fermée ; il ne cherche aucune perspective, il ignore et nie l'histoire. Or, pour moi, l'histoire est une aération, une libération. C'est par elle que je me défends de l'homme et me ressaisis de l'humain.

Je lui lance :

— La métaphysique chrétienne est sortie de l'esprit grec et nullement de l'esprit juif. La conception de la trinité est dans un mouvement dialectique absolument étranger à l'esprit juif. D'ailleurs, l'intrusion grecque remonte plus haut dans le christianisme : saint Paul était un Juif irrémédiablement hellénisé. Son idée du Seigneur Jésus-Christ créé par Dieu avant le monde et réservé par Dieu pour sauver le monde de la création, le ramener à Dieu est une idée éminemment grecque et iranienne.

Il sourit, hoche la tête et me répond :

— Saint Paul a dit que le Christ est venu pour les Grecs comme pour les Juifs, pour sauver les Grecs comme les Juifs, l'Esprit Saint a pu mélanger les idées grecques aux idées juives. Dieu fait le salut des hommes à travers les idées des hommes. Ce que tu dis n'atteint pas le principe de la révélation.

— Certes non, mais d'aucuns le croient. Ils craignent que le christianisme ne soit par terre si l'on montre qu'il n'est pas juif, sémite dans son essence. Et pourtant, dans l'Ancien Testament, il y a bien des idées qui ne sont pas juives. L'idée du Messie, même sous sa première forme grossière d'un Oint, d'un Seigneur venant sauver et glorifier le peuple juif, vient du temps de l'exil à Babylone, chez les Perses, les Aryens les plus purs ; c'est l'idée du Saoshyant qui est dans la religion de Zoroastre. Mais nos chrétiens restent à jamais empêtrés dans le panneau où de longtemps les ont mis les Juifs, que tout ce qu'ils croient leur vient des Juifs. Alors que les deux tiers de ce que croient les Juifs eux-mêmes leur vient des Aryens. Les Juifs se sont développés entre les Egyptiens, les Sumériens qui n'étaient pas sémites, les Assyriens et les Chaldéens qui étaient des sémites fort différents de ce que nous appelons maintenant, ainsi des Phéniciens qui n'étaient peut-être pas des sémites, des Philistins, des Hittites, des Egéens, des Asianiques de toute espèce.

— Où voulez-vous en venir ?

— A ceci que le christianisme découle de la pensée aryenne, comme toute chose indienne et par contrecoup toute chose chinoise, japonaise. Et aussi à ceci, c'est que les Aryens d'aujourd'hui, qui ont dû devenir antisémites, n'ont pas à rejeter le christianisme parce que sémite. Ils doivent y retrouver leur bien... Pour ce qui est de la morale des esclaves qui est peut-être dans l'Evangile, y tombent toutes les civilisations fatiguées. Sous une autre forme beaucoup moins louche, il est vrai, on la retrouve dans le bouddhisme qui est pourtant une pensée purement aryenne et nullement juive.

Frédéric, qui me considère comme un amateur en ses matières, ne monte jamais contre moi sur ses grands chevaux. Pourtant il y a dans ce que je dis quelque chose qui l'inquiète intimement ; c'est ma vitupération de la morale des esclaves. Il y tient, c'est à quoi il tient le plus dans le christianisme.

Mais cette morale est-elle même dans le christianisme ? « Heureux les pauvres d'esprit, etc... » De tels propos, ne sont-ce pas des figures ? Qu'y a-t-il de commun entre ces métaphores rituelles et le bas socialisme de nos démocraties ? Il s'agit du salut de l'âme au sein d'un cosmos purement métaphysique, nullement d'une subversion et d'un retournement social (subversion et retournement qui n'ont pas duré cinq minutes à Moscou).

— « Alors lui, le Saoshyant, le dernier des sauveurs, restaurera le monde qui désormais ne vieillira ni ne mourra plus, ne connaîtra ni déclin ni dépérissement, mais vivra. Il se développera doté du pouvoir de réaliser sa volonté lorsque les morts se relèveront, lorsque viendront la vie et l'immortalité, et que le monde sera restauré conformément à la volonté. »

Cela est dans le *Khorda Avesta. Yest.* XIX. Zamyad Yesht.

Voici d'autres textes concernant le Saoshyant, le Sauveur conçu par les Iraniens, les Aryens, les Aryas, plusieurs siècles avant Jésus-Christ :

« Je frapperai la Pairika, adoratrice des faux dieux pour que Çaoshyant, le vainqueur des divas, naisse de l'eau Kançoya, *Vendidad*, Fayad XIX - V. 18. »

« Nous honorons tous les bons, puissants et purs sauveurs des justes. »

« Depuis Gayo-Maratan jusqu'à Çaoshyant le triomphateur. » *Yaçna* XXVI.

« Qui aura nom Çaoshyant, le victorieux, qui aura nom Açtvaterto ; il est Çaoshyant en ce qu'il favorisera tout le monde corporel ; il est Açtvatereto en ce qu'étant doué d'un corps et d'un principe vital, il arrêtera la destruction de l'être, pour arrêter la Druje de l'espèce bipède, pour arrêter la haine du destructeur de la pureté. »

On voit là le Christ de saint Paul qui vient au jour du jugement ressusciter les corps.

« Or, si l'on prêche que le Christ est ressuscité des morts, comment quelques-uns parmi vous disent-ils qu'il n'y a point de résurrection des morts ?...

« Mais maintenant Christ est ressuscité des morts, il est les prémices de ceux qui sont morts. Car puisque la mort est venue par un homme, c'est aussi par un homme qu'est venue la résurrection des morts...

« Le corps est semi-corruptible, il ressuscite incorruptible ; il est semi-méprisable, il ressuscite glorieux, il est semi-infirme, il ressuscite plein de forces ; il est semi-corps animal, il ressuscite corps spirituel. Mais ce qui est spirituel n'est pas le premier, c'est ce qui est animal. »

★

Je recherche sans cesse la solitude pour me livrer à la peur.

La peur a toujours été en moi. Enfant, je me suis jeté à peine conscient dans cette habitude profonde de la solitude. Mais alors, je n'avais pas peur, il me semble. Déjà je m'arrêtais de longs moment et j'écoutais le silence. Mon attention était vive, espiègle, elle me donnait le sens d'un crime exquis, d'un larcin subtil, d'un bon tour : je dérobais la gloire intime au monde.

Maintenant c'est autre chose. Ma solitude se fait peur, et la peur, angoisse. A propos de rien une angoisse soudaine me pince comme si je fermais lentement une porte sur mon doigt ; c'est moi qui ferme la porte. Je recherche cette angoisse. Plus j'avance dans mes jours et plus je sais que les causes immédiates que je choisis pour mon angoisse sont absurdes, risibles : recueillir dans ma chair le mot d'un ennemi, me sentir sans goût à penser, craindre de mourir vieux. Prétextes.

*

Jeanne attend tout de moi : ce que je lui donne, elle en tire le centuple de sorte que par elle je me multiplie énormément. Je regarde avec effroi et admiration cette excroissance prodigieuse qui se fait de moi en elle. Cette excroissance, est-ce encore moi ?

Il me semble que je lui donne si peu et qu'elle me prend bien plus. Comme elle me fatigue ! Pourtant j'ai de longs moments de détente, de repos auprès d'elle : c'est qu'alors elle fait effort sur elle-même, elle se contient ; mais elle ne cesse de m'épier. Elle attend le moment où elle pourra de nouveau se jeter sur moi pour m'arracher des mots, des gestes, des soupirs, des cris.

Elle n'a pas besoin de mes pensées, elle peut se contenter de mes mots. Malgré moi ma substance passe dans mes mots.

J'ai souhaité encore en dépit de mon éloignement des êtres et de la vie (déjà très marquée quand elle est survenue) me livrer à elle ; mais quand je me livre, je me perds. Elle dénoue mes nœuds un à un. Je la regarde me défaire.

Et pourtant j'ai horreur de l'avarice.

*

Entre autres prétextes qu'emprunte la peur, la délicieuse peur, qui a tissé sa toile toute tremblante de frissons prophétiques au milieu de mon âme, il y a mon patron.

Par crainte de me détacher trop vite du monde, par crainte de ce détachement que prophétise en moi cette douce peur, cette fantasque angoisse, j'aime mieux avoir des prétextes.

Ces prétextes qui sont en chair me rassurent.

L'homme met tout en figure de dieu : j'ai fait de mon patron le dieu de ma peur.

Ai-je vraiment peur ? Je fais semblant d'avoir peur. Je feins d'avoir peur des choses, des affaires, des incidents, des accidents au moment où je m'en détache de plus en plus. J'y parais plus sensible alors que je ne vais plus l'être du tout.

Il s'agit là d'une peur toute superficielle, d'un frisson de l'épiderme. Mais au fond de moi-même, je me sens de plus en plus tranquille, audacieusement tranquille.

★

Köln représente pour moi le nœud de plus en plus raidi, de plus en plus dur des contingences avant qu'il ne craque comme du bois sec.

★

Bien que mon patron soit une espèce de géant, je le sais lâche. Ce n'est pas seulement parce qu'on m'a raconté sur lui les histoires les plus certaines et les plus accusatrices, mais parce que j'ai été témoin de quelques-unes de ses défaillances. Ce grand gaillard fléchit des jarrets quand un homme quelconque le regarde avec les poings serrés.

Toutefois, je me comporte avec lui comme si je le croyais plus fort que moi. Il a pris sur moi dès le premier jour un ascendant que je ne songe pas à rompre. Il s'agit là d'une convention entre nous : nous jouons au jeu du fort et du faible. J'admets qu'il est le fort parce qu'il en a le goût et qu'il y trouve plus de plaisir que moi. Si je voulais... mais il n'est pas question que je veuille.

Voilà comment cela a commencé : quand je suis entré la première fois dans son bureau et qu'il m'a pris à son service, je me suis mis sur-le-champ dans une irrémédiable dépendance. Le ton de ma voix, le mouvement de mes épaules ont tout de suite composé un aveu physique irrémédiable.

Etait-ce parce qu'il était riche, célèbre, autoritaire, sarcastique et habile selon le monde ? Etait-ce parce qu'il était le patron ? Non, il y avait autre chose.

Tout cela comptait, mais devait bientôt cesser de compter.

Non, la vraie raison : je le considérais d'emblée comme un usurpateur et pourtant j'acceptais son usurpation ; lui voyait en même temps ma révolte et ma soumission. Humilié dès la première seconde, je le resterais à jamais ; étonné et enragé de se découvrir dans mes yeux un usurpateur, il était voué à ne régner sur moi que par l'humiliation.

★

Ce n'est pas sans horreur que je pense à ce qu'a dû être le Parthénon de son vivant : lieu de gloriole d'un peuple démocratique, d'un peuple qui ne voulait être que secrètement mené par ses riches, lieu de religion officielle et hypocrite, surchargé de richesses, sans cesse menacé par les désordres et les défaillances. Le Parthénon commence et Athènes va décliner.

Mais quel beau et noble cadavre ça fait ! Ce lieu qui n'a pas connu des victoires mais seulement des défaites, ce lieu qui n'a été hanté que par les désastres, les hontes, les oublis de la décadence, ce lieu qui n'a pu que survivre à la souillure et à l'anéantissement du peuple et du dieu, ce lieu n'a vraiment existé en gloire que dans l'imagination d'hommes lointains : Romains, Européens. Ce lieu peut-il être une vérité, n'étant pas une réalité ?

Quel esthète suis-je donc de ne pouvoir vivre sans revoir le Parthénon ? Le fait est que j'ai été touché au cœur par cette couleur de miel retracée de rose, infiniment aiguillée de cristal.

On peut être amoureux d'un objet. Le Parthénon n'est-il pas le plus bel objet du monde ? Des merveilles du Mexique et d'Egypte, je n'ai rien vu qui me le fasse oublier.

Et sans doute serais-je aussi amoureux de Jeanne si elle pouvait me montrer une âme aussi résistante, aussi solide, aussi éternelle.

Qu'est-ce que la pauvre écaille grise de nos cathédrales à côté de cette peau pentélique ? Et pourtant mon âme est plutôt faite de cette écaille que de ces roses thé trempées dans la neige. Bah ! il y a beau temps que je m'accommode de mes contradictions et que même j'y savoure la vitalité de mes jours.

★

Frédéric est un drôle de corps. Tous les corps sont drôles. Les corps qui ne sont pas drôles sont drôles de ne l'être pas, du moins au regard de celui qui est familier de la drôlerie et dans les moments où il prend toute chose sous cet angle. Frédéric me paraît un drôle de corps parce qu'il est catholique, père de famille et pédéraste. Je connais d'autres exemplaires de cette espèce-là, cela fait pour moi une série de drôles de corps.

L'un de mes camarades qui est un dévot de la Libre Pensée opine gravement : « Il est naturel que Frédéric soit catholique et pédéraste, cela va ensemble. » Je lui cite aussitôt trois personnages qui sont notoires dans l'athéisme et la pédérastie. Il est vrai que les pédérastes eux-mêmes essaient souvent de voir un lien entre leur particularité sexuelle et leurs opinions. J'en ai connu un qui s'était fabriqué une mythologie dont les deux pièces maîtresses étaient Proust et Marx ; il est vrai qu'il était aussi juif.

Frédéric tombe secrètement dans ce travers et son sentiment du péché originel est fortement entaché par l'idée qu'il se fait de son habitude. Ainsi il enracine celle-ci dans la métaphysique et lui donne un aspect grandiose. La fonction principale de Satan devient l'enseignement du Corydon et la propagation de ce mal délicieux.

Je le lui ai dit et il l'a nié.

— Mais non, mon cher, ce vice que vous me prêtez et qui n'est pas le mien (il le nie, à cause de sa femme qui le connaît, de ses fils qui le partagent, et de sa position à la porte de l'église de grand théologien laïque) ce vice n'est pas un très grand péché. Le plus grand péché, c'est le péché contre l'esprit ; et ensuite le péché de chair... La chair est mauvaise en soi... »

— Mais l'homosexualité est un péché contre l'esprit. Il atteint l'ordre et l'établissement des fonctions de l'être.

— Le péché d'adultère que vous commettez tous les jours...

— Et vous, ne le commettez-vous pas ?

— Si je faisais ce que vous croyez, je ne ferais que forcer une tendance naturelle qui est celle de l'amitié.

— Vous la forcez ! Vous la pervertissez totalement. Et ainsi vous troublez l'ordre naturel voulu par Dieu. D'ailleurs, chez saint Paul la condamnation est formelle et éclatante.

« C'est pourquoi Dieu les a livrés à des passions infâmes, car leurs femmes ont changé l'usage naturel en celui qui est contre nature ; et de même les hommes, abandonnant l'usage naturel de la femme, se sont enflammés dans leurs désirs les uns pour les autres, commettant homme avec homme des choses infâmes, et recevant en eux-mêmes le salaire que méritait leur égarement. » C'est, vous le savez bien, dans l'Epître aux Romains.

— Vous le savez par cœur, mon cher.

— Oui, car les vôtres m'ont toute ma vie fait horriblement souffrir dans la vénération que j'ai pour l'amitié.

★

Jeanne a sans doute quelque chose qui la marie au Parthénon. Je voudrais la voir debout contre une colonne de mon temple. Cela ferait-il la plénitude de ma vie ?

Ce qui ressemble dans Jeanne au Parthénon, c'est la profonde valeur architectonique de sa tête. Profondes mesures de son crâne, roideur de son front, robuste structure de son nez envergué par l'arc très noble de ses surplombs oculaires. Il y a aussi l'arc de sa lèvre et l'arc de ses épaules.

Son caractère loyal est livré à la même envolée de toile richement prise dans le vent que le front droit prolongé par des cheveux purs qui n'ont jamais été déshonorés, desséchés par la permanente.

★

Et pourtant, quand je suis devant mon patron, je ne puis alléguer ni le Parthénon ni Jeanne et je ne me sens qu'accablé par tous les péchés du monde. Il est curieux que, devant un homme que j'ai toujours senti et jugé si bas et évidemment éphémère, je ne sente en moi que culpabilité, honte. Je suis prêt à supplier et à demander grâce comme devant le juge dressé sur ma plus haute conscience alors que ce chenapan obscène n'a absolument pas cure de quoi que ce soit qui ressemble à mes références.

Je sais, j'ai toujours su que ce sire n'est qu'un faiseur. Au fond de soi, tout le monde sait qu'il n'est qu'un fantoche. Et moi, en revanche, dans ma partie modeste et plus sûre, je suis meilleur que lui : tout le monde me tient pour un excellent artisan. Or un bon artisan peut garder son chapeau sur la tête devant n'importe qui. Quand on est à plein dans sa mesure que peut-on craindre ? Et pourtant je frémis devant lui dans une défaillance sans fin.

Lui qui est parfaitement égocentrique, fermé sur lui-même avec une boucle d'acier, ne voit en moi qu'un pion dans son jeu, quelque chose qui est en bois, quelque chose qui lui sert pour gagner de l'argent, et par l'argent gagner des femmes — l'argent et les femmes faisant sa gloire, sa réalité. Il ne me regarde même pas et pourtant je me sens devant lui comme méprisé par le monde entier.

Cette idée d'un maître n'est certes qu'une pierre de touche sur quoi se décèle ce sens illuminé qui me vient parfois de la fragilité et de l'ignominie de tout ce qui est mon moi. Ce sentiment que j'éprouve devant lui, c'est comme le revers caricatural de cet autre sentiment intime que j'éprouve quand je suis seul, cette angoisse qui me saisit loin de tous les regards. Je n'ai pas peur de lui, mais il me fait penser à ma peur. Et à ma honte.

★

Jeanne a des os admirables.

★

Cette perfection du corps de Jeanne, cela devrait me donner l'envie d'éterniser la forme humaine et donc de sortir de ce corps un autre corps.

Je ne crains pas du tout de saccager ce corps en l'engrossant ; j'ai trop le sens de la caducité de tout et à mon regard n'échappe déjà aucune des premières et imperceptibles défaillances de cette chair. Je n'ai jamais songé d'aucune façon à gagner une heure sur la mort d'un jour ou un jour sur la mort d'une année.

★

Frédéric me fait horreur. Et pourtant je le fréquente, comme je fréquente mon patron. Mais qu'y faire ? De quelque côté que je me retourne, je ne vois dans ce malheureux peuple que perte totale du sens des lois. Ils ont perdu le sens du sexe comme de la politique. Ils ne savent plus ce qu'est un chef, ce qu'est un homme, ce qu'est l'art, ce qu'est la religion. Ils n'ont plus de goût que pour ce qui est dérobade à la vie, en tout ordre de choses.

★

Si je publiais de telles pages, j'entends d'ici l'antienne des critiques : « Pourquoi nous parlez-vous de ce qui est l'exception ? » Mais je vois de toutes parts des séries d'exceptions qui font une règle, une énorme anti-règle. Et ainsi tout ce peuple va s'invertissant et prenant le visage de la mort.

★

Jeanne est construite comme une église ; c'est la même raison passionnée qui se fonde fermement et largement, qui s'élève dans l'entrecroisement solide de ses forces d'abord courtes et qui à la fin jette, lâche, perd ses forces dans les hauteurs. Ses jambes se dégagent à gros blocs de la glaise ; sur le cintre surbaissé qui les lie, ce sont ensuite les hanches les plus longues et encore l'enlève-ment d'un buste ogival, dispos, mobile, multiface, aérien. Par-dessus les os il y a les muscles aussi nobles que les os et ce tissu serré et élastique qui est la chair d'un athlète ; de tout cela semblent exclues la mollesse même, la douceur d'une féminité qui serait un peu abandonnée à sa faiblesse. Mais, Dieu merci, la faiblesse paraît dès que se pose le regard de l'homme.

★

Je suis puni en Jeanne de la limitation que j'ai laissé ma nature s'imposer. Paresseusement, licencieusement, j'ai laissé le seul sens de la vie proliférer en moi ; je vois le monde avec des yeux d'architecte enchaînés à une grâce toute nue d'épure. Je ne vois que des formes et des lignes. Les couleurs (sauf celles du Parthénon) ne sont pas vraiment vivantes pour mes nerfs. Et mon toucher, mon odorat ne pénètrent pas loin dans les arcanes du monde. C'est pourquoi Jeanne m'a été donnée, avec des os de fer, une peau de cuir de Russie, une odeur trop lavée, une couleur univoque de toile neuve.

★

Je suis las de pierre grise, il me faut cette pierre de miel. J'en ai besoin comme de beurre sur mon pain. Et Dieu sait pourtant si je jouis de la Concorde, de la Seine. Je croyais autrefois que la contemplation des mystiques pouvait devenir stupéfaction, stupidité, mais non, il y a toujours plus de finesse dans l'idée que font les chevaux ·de Marly.

Je vois de mieux en mieux le cheval et en même temps je vois le Cheval, d'une toujours nouvelle manière, chaque fois plus merveilleusement autre qu'il n'est et pourtant éternellement pareil à lui-même.

Il y a des choses si belles sur la terre qu'on se prend à pressentir l'insensé mystère de la création, on admet selon la charnelle mythologie de l'Occident que Dieu qui est parfait puisse être aussi imparfait, qu'il ait laissé se faire en lui ce défaut du monde, qu'il ait pu tolérer cette beauté des étoiles, des statues.

★

Il m'est horrible de penser que je ressemble tant à mon ami Frédéric qui est pédéraste. Les femmes sont pour moi un objet de plaisir stérile comme pour lui les hommes. Et certains de mes gestes avec Jeanne ressemblent à ses gestes.

Je suis même pire que lui puisque, après tout, il a des enfants.

Tantôt je me considère sous l'angle social et alors je suis un homme comme les autres, tantôt sous l'angle de la philosophie et de la religion et alors que m'importent les injonctions de la nature et de la société. Je ne suis plus que l'homme au milieu du cosmos entre Dieu et le néant, entre ces grandes images indicibles, qui font tout mon souci et toute ma réalité, qui marquent les extrêmes limites au-delà desquelles j'ai envie de prolonger sans fin mon élan. Alors je ne puis plus beaucoup m'occuper de Jeanne et de son appel terrestre, ni de mon peuple et de sa décrépitude qui crie dans le désert.

★

Ce qui donne tant de pouvoir à mon patron sur moi, c'est ceci que sans cesse il me laisse entendre : « Pourquoi n'êtes-vous pas à ma place ou à une place semblable à la mienne ? Pourquoi n'êtes-vous pas un maître ? Votre maintien modeste et sardonique fait sans cesse allusion à des qualités intimes que vous posséderiez et qui dépasseraient absolument en finesse les miennes ? Mais, à supposer que cela soit vrai, il restera toujours que vous n'avez pas en plus de vos qualités les miennes. Cela fait un terrain où je suis supérieur, cela me suffit et je vous méprise. »

Et après tout, ne suis-je pas aussi ignoblement égoïste

que lui ? Alors, si sur un point je suis aussi ignoble que lui, ma seule excuse serait d'être aussi grossièrement fort que lui — au moins un instant.

★

Je suis d'autant plus dérangé par mes contacts avec mon patron que par ma pente naturelle je ne vais nullement vers la compétition et le défi. Je n'ai aucune ambition.

Mais il paraît que j'ai de l'orgueil puisque je suis à jamais blessé par la présence de cet homme.

★

La volonté de puissance de mon peuple meurt en moi devant mon patron. Jamais mon peuple ne se relèvera de mon fléchissement devant mon patron.

★

Si je glisse vers la solitude, le détachement des choses et des êtres, et sinon vers le ravissement mystique, du moins vers la contemplation intellectuelle, n'est-ce point parce que ce sont autant de prétextes pour fuir la vie et pour courtiser la mort ?

★

Le Parthénon renfermait une statue de Zeus par Phidias. Sans doute aussi étrangère à l'essence de Dieu que le Moïse de Michel-Ange l'est à l'essence du patriarche sémite. Les hommes qui ont construit le Parthénon ne sentaient plus les dieux ; et les dieux officiels de la Grèce au ve siècle ne pouvaient plus être sentis. Mais, à côté, à Eleusis survivaient, vivaient, revivaient des formes plus secrètes et plus émouvantes.

D'ailleurs, dans le Parthénon, je ne mets rien de divin. Ce n'est pas ma ferveur religieuse qui me pousse là, mais au contraire, ce qui me reste de chaleur pour les biens quotidiens. Le Parthénon et les seins de Jeanne, voilà ce qui m'attache encore à la terre.

Ne peut-on être attaché à la fois à la terre et au ciel, voir le ciel à travers chaque chose de la terre ? Reconnaître que dans le ciel il n'est pour nous que ces modèles indéfectibles que nous proposent les mouvements de la vie, les formes de la terre ?

Pour Jeanne, je ne suis pas que de la terre, quand elle me serre dans ses bras, c'est le moment où elle est le plus près du ciel. Je suis la pièce essentielle dans sa religion de femme. Une fausse sainte Thérèse n'aime pas mieux son Jésus. Je suis pour elle le lien de ses joies, de ses douleurs, de ses sacrifices, de ses acharnements. Mais aussi, je sais bien qu'en moi elle aime quelque chose au-delà de moi.

★

Le nom de mon peuple revient sans cesse à mes lèvres, par habitude, par imitation, parce que je l'entends sans cesse répéter autour de moi. Monotonie de cet appel. Tout ce qui leur reste de force s'est réfugié dans ce cri vain que chacun, le lançant vers les autres, lance vers lui-même.

★

Je lis dans le Brihadaryanakopanishad : « Brahma était au commencement tout ceci, seul, seulement. Etant seul, il n'avait pas la force. Il se supercréa une forme meilleure, le Kshatra... Il n'y a *rien de supérieur* au Kshatra. » Or, le Kshatra, c'est l'essence de la seconde caste, de la caste des Kshatriyas, des guerriers. Le Brahma des brahmanes s'adjoint le Brahma des Kshatriyas, le brahma des prêtres s'adjoint le brahma des guerriers.

Voilà une image métaphysique qui dit assez bien mon besoin d'être en même temps de l'autre monde et de ce monde-ci, de la contemplation et de l'action, d'être hors de la création et dans la création.

« Le brahmane est assis au-dessous du Kshatriya dans le rajasunya (la cérémonie du sacre royal). C'est dans le Kshatra seul qu'il met cet honneur. » Mais aussitôt il est ajouté dans l'Upanishad : « Ce qui est la matrice du Kshatra c'est le brahma. C'est pourquoi bien que le roi soit élevé à la dignité d'être le plus haut, c'est le brahma sa matrice, qu'à la fin pourtant il amène à lui. Celui qui fait du mal, celui-là blesse sa matrice. Il devient pire comme ayant fait du mal à *meilleur que lui.* »

Admirable va-et-vient de la pensée indienne entre les contradictions qu'elle domine.

★

Il n'est donc pas que Jeanne et le Parthénon qui me retiennent à la terre. Y a-t-il aussi une patrie ? Une religion ? Ce n'est qu'au-delà de la pleine conscience des formes qu'on atteint à ce qui n'est même plus forme.

Mais je mets dans chacune de ces choses un accent qui la dévie jusqu'au symbole dont j'ai besoin, cela compose un vocabulaire qui est de moins en moins propre à me faire communiquer avec les autres.

Le catholicisme. Qu'est-ce que cela peut bien être pour moi ? Rien du peu qu'y met encore une secte alanguie, peu de ce qu'y mettait cette grande Eglise vivante ; le résumé de certaines philosophies grecques, de la secrète religion grecque. Le résumé en même temps de toutes les grandes religions antiques prises dans leur intimité, de l'égyptienne, de la babylonienne, de l'iranienne, de la celtique, et de dix autres.

Le catholicisme, c'est pour moi le mystère de la Trinité qui résume tous les autres mystères et les consomme.

Derrière le Parthénon, j'aperçois la religion secrète d'Eleusis. Au cœur de la cathédrale de Chartres ou de Reims, je retrouve cette même religion. De sorte que je peux goûter dans une harmonieuse égalité les deux architectures, les deux cultes — et d'autres encore au-delà.

★

Ce qu'il y a d'ignoble chez mon patron, c'est qu'il est entièrement dans le siècle et que pourtant il parle tout le temps de ce qui épuise et dépasse le siècle. Car il dirige entre autres choses une grande revue illustrée qui s'appelle *L'Art au XX⁰ Siècle* (dont je suis le rédacteur en chef). Pour lui l'art est l'objet d'une spéculation fiévreusement restrictive ; un tableau pour lui, c'est un objet ; même pas, un signe, un chiffre.

Pour moi, un tableau c'est l'articulation d'une prière, un moyen magique pour atteindre l'au-delà, au sein du là.

Je ne vois jamais chez lui aucun signe de dégoût ou de fatigue. Il a un mépris, une ignorance des humains qui le mettent à l'abri de toutes leurs atteintes. Certes, il a des crises de vexation, de rage, de rancune, de haine, d'envie, mais cela ne porte jamais que sur l'adversaire du jour. Ses haines vieillissent sans s'éteindre, mais elles ne consument, n'épurent rien en lui.

Pourquoi est-ce que je me sens si coupable devant lui ? De le laisser vivre, prospérer. De ne pas lui opposer une vertu mieux armée. Le sentiment de la culpabilité, c'est tout simplement le sentiment de la faiblesse.

★

Mais le catholicisme, c'est le péché originel, la grâce

l'amour de Dieu et du prochain. Tout cela vit peu en moi, ou à peu près transposé.

*

Jeanne est entièrement livrée à moi, dépend entièrement de moi. Si je la quittais, sa vie secrète serait à jamais déserte. Certes, ce serait un désert peuplé, car sa sensualité deviendra lubricité et évoquera les démons, faute de dieu.

Il n'y a aucune fatuité dans ce que je dis là : les femmes sont ainsi, elles se donnent d'autant mieux qu'il leur faut plus nous tenir. Jeanne prudemment, avec une grande peur d'être décelée, cherche par un jeu indirect de leviers à faire reposer sur mon cœur tout son poids. Poids délicieux comme celui du Parthénon, de Paris, de Notre-Dame de Chartres. Mais au-delà, il y a la légèreté du divin.

*

Souvent, aux bords de la Seine, je regarde un homme pêcher à la ligne. Je regarde cet homme réduit au geste le plus atténué, le plus immobile. Alors qu'il y a la chasse, l'avion, la révolution, la guerre, l'ascète. Mais l'animal réduit en lui n'en est que plus occupant ; cet animal ne pense qu'à manger, à boire, à se goberger à moindre frais. Curieux, un civilisé sur sa fin. Dans ce civilisé, je vois le barbare ressourdre d'année en année, je vois l'homme englouti dans l'inertie intellectuelle, l'incuriosité des autres hommes et des dieux. Il viendra un moment où le mécanisme de la civilisation deviendra trop subtil pour lui, où son matérialisme même ce sera trop.

A l'origine, tout ce matérialisme, ce machinisme ne fut pas tel, il fut engendré par une spéculation de l'esprit qui était encore haute et regardait bien au-delà de son objet. Les mécanistes, les matérialistes du xviiᵉ, du xviiiᵉ, du xixᵉ encore, valaient mieux que le produit de leur effort qui aujourd'hui n'est plus qu'un résidu.

Mais le matérialisme consume le matérialiste.

★

D'un côté ce qui est de Dieu, de l'autre ce qui est de la terre ; d'un côté ce qui est du prêtre, de l'autre ce qui est du guerrier. Autrefois, dans ma jeunesse, j'étais de l'ordre guerrier ; puis j'ai oscillé violemment de l'ordre guerrier à l'ordre sacerdotal et du sacerdotal au guerrier. Maintenant qu'avec l'âge et selon la loi je me mets dans l'ordre sacerdotal, je regrette encore parfois l'autre ordre. Il en est ainsi parce que cet équilibre n'existe absolument plus dans la société où je vis ; alors j'éprouve le besoin de le restituer en moi. Mais je ne puis plus le faire que par une opération de l'esprit. Qu'est-ce qu'un guerrier par l'esprit ? Je le vois bien quand je tremble devant mon patron.

Et quand je tremble devant Jeanne, et son appel à la générosité, au don.

★

Jeanne voudrait que nous nous donnions plus l'un à l'autre, que nous nous donnions enfin l'un à l'autre, et qu'ainsi nous nous perdions l'un l'autre et que nous nous donnions aux autres.

Ce serait enfin en moi et sur moi le triomphe du premier terme de ma philosophie. Car ma philosophie n'est-elle pas d'abord louange de la vie, de la vie terrestre ? D'abord, et à plein, l'homme, la terre ?

Quand on aime le Parthénon, ne doit-on pas souhaiter un enfant qui élève ses petits membres de miel comme les colonnes du temple ?

*

Comme je ressemble à Frédéric ! Cette ressemblance me vexe ou m'épouvante. Ce goût spécieux pour la théologie, je l'ai aussi. Spécieux, car enfin entre la curiosité et l'amour, il y a un abîme. Nous y engageons de plus en plus notre intelligence, mais notre cœur ?

Si je ne m'absorbe pas entièrement dans la seule étude du Védanta, c'est qu'il y a dans le christianisme cet amour. Certes, cet amour chez la plupart des chrétiens se fourvoie ou s'attarde dans des formes assez mièvrement mythologiques ; ce Dieu personnel qui est père, qui a un fils ; et Notre-Dame ; et ce Christ trop humain qui oublie son père d'une part, d'autre part les minéraux, les végétaux, les animaux, qui se laisse aimer, qui se laisse aller à nous chérir tout personnellement. Trop de psychologie dans tout cela, pas assez de métaphysique ; car après tout n'est-ce pas le plus haut amour, ce besoin de l'intelligence de comprendre, et de se dépasser au-delà de toutes les compréhensions possibles ?

Pourtant saint Paul voit grand : ce Christ engendré de toute éternité, ce Verbe qui procède infiniment. Et après lui les Grecs ont encore ajouté cette notion du Saint-Esprit qui reflue sur les spécifications du Père et du Fils, et les résout dans un grand mouvement total et final. La grande métaphysique chrétienne, c'est tout de même autre chose que la mythologie du dévot où je prétends achopper.

*

La connaissance des religions et philosophies de l'Inde, de la Chine, de la Perse, de l'Egypte, de la Chaldée finira par détruire le malentendu sur lequel reposait une partie du prestige juif. Il y a d'autres religions que la chrétienne, d'autres philosophies que l'européenne. La religion chrétienne ne fait que répéter en les aiguisant mais aussi en les rétrécissant des thèmes communs à toute l'humanité. La religion juive avait fait de même auparavant. L'une et l'autre ont emprunté de toutes parts.

Le prestige grec est diminué en même temps que le prestige juif. La religion grecque n'est plus qu'un embranchement des religions aryennes et la philosophie grecque trouve un formidable contre-point dans la philosophie indienne.

Nous devons franchement procéder à un reclassement des valeurs historiques, à un bouleversement de la hiérarchie. La petite Grèce et la petite Palestine ne viennent qu'après Mohenjo-Daro et Sumer, l'Egypte et la Chaldée, l'Egée et les Asianiques, parallèlement à tout le développement du monde aryen en Perse et dans l'Inde, chez les Celtes et les Germains — parallèlement à la naissance chinoise et japonaise et précolombienne. Et le Moyen Age européen est parallèle à la chose arabe, indienne, chinoise.

★

Les hommes que j'aurais pu être ou que j'ai été. Il y a eu en moi quand j'étais enfant de la graine de moine, de la graine de saint : cela reparaît maintenant. Le vieillissement me rend la candeur. Mais certes, il est à jamais banni de la sainteté celui qui n'est pas saint dans la jeunesse, dans l'âge du combat, du choix libre et atroce, mais seulement dans l'âge de la nécessité. Quel serait mon désespoir si j'étais ravagé par le grand amour, au souvenir d'une si longue perte ?

Candeur, non, torpeur plutôt. Mais comme mon esprit est lucide au sein de cette torpeur qui monte : je vais au-devant de ma vieillesse avec un vif appétit de jouissance spirituelle. Et sans doute est-ce que je suis saturé de volupté.

Sainteté, non : plutôt sagesse. Développement selon la ligne la plus régulière, la plus banale. Mais il y a une beauté aussi dans la loi la plus commune.

Nulle envie de cracher sur le plaisir, mais une lente indifférence.

Les hommes que j'ai été. Ma gêne, ma culpabilité, mon tremblement devant Köln, c'est que j'ai été de l'ordre des guerriers, des citoyens ; j'ai eu en moi une grande capacité pour lutter dans le siècle, une grande animation. Devant lui c'est le vieux militant qui frissonne encore à l'appel du combat, qui frissonne du besoin de mon peuple. Mais l'attirance pour l'étreindre meurt en moi vers Köln comme vers Jeanne.

Je n'ai rien dit de Jeanne dans toutes ces pages, de son caractère, de sa personne, de ce qui la fait différente. Pourtant, j'ai été cruellement sensible à tout le détail de ses traits moraux et j'aurais pu retracer au jour le jour son portrait psychologique, thésauriser tous les signes de sa particulière fatalité. J'aurais pu aussi bien relater sa famille, son milieu, son hérédité. Mais tout cela ne m'intéressait plus guère, et, étant la dernière femme pour moi, elle n'est plus que la Femme.

★

Jeanne est simple, forte, grande ; Jeanne veut l'achèvement, l'accomplissement, la consommation de notre amour.

Sa ruse de femme cherche mon anéantissement en elle. Elle qui s'anéantit en moi veut dépasser cet anéantissement : si je m'anéantis avec elle, alors elle ne s'anéantit plus. Et elle croira toujours que dans l'enfant elle revit mieux que moi.

Heureuse depuis trois ans du bonheur que je lui donne, et où déjà je me perds, elle appelle toutes les chaînes avec les cris de sa volupté. Tordant ses beaux bras, elle souhaite de les voir meurtris et éprouvés par les chaînes de la maternité et du ménage. Sa sensualité audacieuse va vers le travail de l'enfantement, des travaux du foyer.

Peut-être une secrète satiété de nos plaisirs stériles lui fait chercher un au-delà, secrète satiété qui veut prévenir la mienne et m'attacher à jamais à elle par d'autres liens. O ruses merveilleuses !

Je suis à sa merci. Ce n'est pas moi qui rends nos plaisirs stériles.

★

Il y a eu des tas de christianismes : le christianisme du Christ s'il a vécu, le christianisme de ses apôtres, le christianisme de saint Paul, le christianisme des premières églises, le christianisme des Pères grecs, celui des Pères latins, le christianisme de Byzance, le christianisme du Moyen Age européen, le christianisme de la Renaissance, de l'Epoque classique, le christianisme du xixᵉ siècle, le christianisme des divers peuples.

De tout cela je retiens quelque chose du christianisme grec et du christianisme du Moyen Age, et surtout beaucoup du préchristianisme.

★

Quel droit ont les Juifs sur le christianisme des Pères grecs, polythéiste avec une si savante prudence, un si noble sens de la hiérarchie, et sur le christianisme du Moyen Age, si délicatement mystique, réservant si bien les vertus du charnel et du viril ?

Je méprise les Juifs de la défaite et de la décadence ; les Juifs d'après l'Exil. Auparavant, c'était un peuple comme les autres, les Hébreux. Mais il a eu l'horrible privilège de se survivre à lui-même. Il faut voir ce que sont devenus les descendants des Aztèques pour mesurer la secrète déchéance du Juif en tant qu'être religieux momifié dans une survivance toute volontaire.

★

A en juger par ma faiblesse devant Köln, à ma faiblesse de gros animal fasciné par le serpent, je sens que mon peuple est ouvert à toutes les invasions.

C'est dans sa lente, progressive, minime défaite de tous les jours devant le Juif que ce peuple se prépare et s'entraîne aux plus grandes défaites.

Quel chemin l'envahisseur dispersé, discret (c'est une façon de parler) et sans armes prépare à d'autres ?

★

Si nous nous donnions l'un à l'autre comme le souhaite Jeanne, nous nous perdrions l'un l'autre. Dans cette fusion, aucun de nous ne serait plus reconnaissable. Ce serait un ménage. On dirait : ils, en parlant de moi comme d'elle.

★

Quelle est l'image de cette perte, de cette fusion de deux égoïsmes ? L'enfant. Autant est horrible un ménage sans enfant, qui à la longue n'est qu'une annulation réciproque (ou le combat piétinant de deux égoïsmes réveillés), autant cette annulation devient belle quand elle se transfigure, s'exalte en abnégation. L'enfant, même si plus tard il devient une personne laide et bête, c'est la vie renaissante qui justifie le suicide commun des parents.

Un enfant, c'est un monument de chair, qui, même raté, peut engendrer un autre monument plus heureux. Si ce n'est un parthénon, c'est une promesse de parthénon. C'est la matrice renouvelée de cette sempiternelle architecture qui maintenant est Parthénon, demain sera Chartres, après-demain ce palais florentin, cette musique de Bach et de Mozart (car les Allemands par leur musique sont d'aussi grands architectes que les Grecs, les Italiens et les Français).

J'observe Jeanne plus précisément que jamais. Je vois bien qu'elle se compose, qu'elle s'ordonne, qu'elle prend un sens, qu'elle nourrit un dessein.

Je croyais que Jeanne ne pensait qu'à moi, ne vivait que de moi. Mais non, elle m'a subordonné, comme elle s'est subordonnée elle-même. Elle voit au-delà de moi comme d'elle.

Jeanne ne me désire plus, elle désire un autre être. Ses étreintes sont des pièges, des abîmes où elle m'attend et m'entraîne.

Horrible et mystérieuse opération : la multiplication. Dans l'ordre de l'entendement, il est des peuples qui n'en ont jamais découvert le principe ; ils ne savent qu'additionner des additions.

Jeanne me veut encore dans un enfant et elle se veut aussi. Mais ce ne sera plus ni elle ni moi. Son rêve est impossible, cet enfant ne sera pas nous. Ce sera une indépendance, une ingratitude, un ego.

★

Eh bien, un ego. Quelle merveille ! Ne voilà-t-il pas le moyen de tuer mon ego, à moi ? Quelle ascèse y réussirait aussi bien ?

★

Je remarque que trop souvent ma phrase prend la forme interrogative. Peut-on (tiens, ça recommence) se poser des questions comme ci-dessus ? Peut-on se demander si l'on peut ou l'on doit avoir des enfants ? Horrible défaillance de l'être, horrible migration de l'être vers l'absence, vers le néant. A nos yeux mal ouverts, mal initiés, que serait Dieu sans les dieux ? Ne faut-il point passer par l'Enfer pour mériter le Ciel ?

★

Je suis pauvre, elle est pauvre. Nous vivons très simplement, mais cette simplicité coûte cher.

Par mon milieu, par l'adresse noble de Jeanne et mon art propre, nous vivons dans un air de luxe. Mais il ne nous faut jamais regarder au-delà de la limite des seuls besoins que nous avons choisi de satisfaire. Par exemple, ne pas rêver de voyages en Grèce.

★

Je ne puis m'empêcher de regarder sans cesse les gens autour de moi et cela est un grand péché, car plus je les regarde, plus je les hais. D'une haine tranquille, douce, enjouée, qui ne les blesse peut-être jamais, mais qui me blesse sans doute. Ne serait-il pas plus sain de les haïr activement, en les envahissant, en les exploitant ?

Je me pose cette question en me comparant chaque jour à mon patron Köln. Lui aussi hait les hommes, mais d'une haine éminemment active.

Je le regardais dans son beau bureau clair des Champs-Elysées, ce matin. Il examinait des photos que je lui montrais pour notre prochain numéro, sur les Religions Mystiques de la Grèce Antique. Il a toujours l'air de mépriser les belles choses qu'il manie. Lui, a fait plusieurs croisières dans les mers grecques ; il est saturé de cela comme du reste. Un peu presbyte, il maniait les sublimes cartons à longueur de bras, du bout de ses grands doigts spatulés et il faisait la moue. Et moi, je convoitais ces vues comme des promesses.

Si nous avons un enfant, nous ne pourrons pas aller en Grèce.

*

— Je ne me suis donné ou plutôt promis entièrement à Jeanne que pendant peu de temps, pendant le prélude. Alors elle se refusait à moi et j'avais peur de ne pas l'obtenir. Cette peur me donnait l'idée d'une telle perte que je la pensais indispensable à ma vie, donc maîtresse de toute ma vie. Ce sont là les affolements, les paniques du désir où la peur entre pour une grande part. Vouloir prendre, c'est avoir peur de perdre. Du moins en est-il ainsi pour la race dont je suis. Mais, dès qu'elle se fut livrée, il me parut que j'étais plus pour elle qu'elle n'était pour moi. Dès lors tout ce que je lui donnais prenait l'affreux caractère de l'aumône. Ignominieuse pente de mon âme. Plus elle me donnait et moins je jugeais intéressant de lui rendre. Je soupçonnais chez elle calcul de conquête et même de déprédation. Elle était donc pauvre puisqu'elle avait besoin d'un autre ?

Mensonge, elle est toute abondance, toute générosité, toute bonté.

— Je vois bien que depuis quelque temps notre étreinte prend pour elle un caractère différent. Au début, mon amie était surtout curieuse, enjouée, entrant dans notre jeu avec un feu de découverte. Je n'étais pas son premier amant, mais elle n'avait pourtant pas été une Marie-couche-toi-là. Et les hommes sont assez variés pour qu'il faille du temps à une femme avant de reconnaître les quelques catégories où ils se rangent. Et puis elle avait eu à gagner mon goût autant que moi à gagner le sien. Quand notre entente fut établie, elle jouit longuement de cette réussite. Mais peu à peu, la volupté s'approfondit pour elle au-delà d'elle-même. Je vis bien qu'elle commençait à jouir plus dans son âme que dans son corps, étant si bien assurée de son corps.

Aujourd'hui, elle jouit au-delà de la jouissance ; elle jouit d'elle au-delà d'elle, de moi au-delà de nous. Tout cela signifie l'enfant.

Tout dépend d'elle, je suis à sa merci, il lui suffit d'un geste. Quand elle me laisse sur le lit, épuré par la satisfaction, rentrant doucement et richement en moi-même, que fait-elle dans la salle de bains ? J'entends un bruit de fontaine. Fontaine de la mort, fontaine de la vie, symboles qui sont des présences immédiates.

★

— Je suis un salarié, un ouvrier au service d'un patron. Je fais ce qu'il me dit de faire et je pourrais prétendre que ce que je fais ne me concerne pas. Il ne peut vraiment pas en être ainsi. Pour moi, je ne puis vivre impunément auprès d'un autre homme. Quelqu'un qui a un masque d'homme a toujours quelque chose d'humain en lui ; et la destruction de l'humain qu'il opère en lui c'est encore humain ; donc, cela me touche, me blesse.

★

Le matin, cela m'est infiniment blessant de retrouver dans son bureau ce patron qui est une réplique grossie de moi-même, jusqu'à l'obscène et au ridicule. Voilà donc l'homme que je suis dans le siècle, gagnant de l'argent, mangeant, téléphonant, payant un appartement, des femmes, assurant sa suffisance. Il n'y a entre nous qu'une différence qui se chiffre : son appartement est de trente mille francs, alors que le mien est de cinq mille, sa maîtresse a des zibelines alors que la mienne a du lapin. Mais pour l'usage qui est fait de tout cela... Cependant ces chiffres ont un pouvoir de grossissement extérieur qui font l'obscénité et le ridicule. Köln me coince par où je pèche, car enfin je convoite tout cela, et si le siècle me prenait au mot, c'est ainsi que je serais, arrivant le matin à mon bureau avec cet air parfumé, cette petite ride qui signe la plus récente jouissance, ce soupir de cocu minutieusement caressé par une femme qui a besoin de l'argent d'un homme.

★

Mon patron s'occupe d'art. Comme écrivait l'autre jour un adulateur : « Il élève un nouveau monument chaque mois à l'art moderne et à la conception moderne de l'art ancien. » Notre revue est peut-être la plus belle revue d'art qu'on publie au monde. (J'ai dit « notre » ! Cela m'a échappé et n'est pas sans signification.) Américains, Anglais, Allemands l'admirent et l'imitent.

Il y a dans ces cahiers une diabolique science de la typographie et de la photographie. Au pouvoir d'incantation déjà ancien des caractères d'imprimerie, le pouvoir de captation de la photo infiniment assoupli depuis quelques années ajoute singulièrement. Il semble que, devant une telle réussite, il n'y ait plus pour les hommes qu'à regarder, contempler et s'arrêter de vivre. Envoûtement terrible et qui paralyse les forces de l'amour. Entre un temple mexicain et une amulette nègre, un tableau de Picasso prend un aspect d'éternité absolument décourageant.

Qui fait tout cela ? Lui ou moi ? J'ai horreur de tout cela et pourtant si tout cela est fait, c'est grâce à moi. Sans moi, le patron n'y parviendrait guère. Mais avec son art de flairer et d'exploiter, il trouverait un autre artisan. Le fait est qu'il n'y en a pas beaucoup comme moi sur le marché.

Mon patron veut gagner de l'argent. Mais pourquoi ne pas vendre plutôt des chaussures qu'une revue d'art ? Est-ce par faiblesse qu'il s'est mis dans l'art, parce qu'il se sentait moins fort que ceux qu'il aurait rencontrés dans la chaussure ? Ou est-ce à cause d'une convoitise particulière ? Très obscène, alors. Il aime à s'entendre traiter d'artiste autant que de millionnaire.

Tout lui est bon dans l'art. Il met tous les arts sur le même pied, et dans toutes leurs périodes. Primitifs et décadents, c'est pour lui tout comme. Pas pour moi. La naissance et la mort d'un art, c'est pour moi la naissance et la mort d'un peuple. Pour lui, il y a toujours des peuples ; il lui suffit de passer de l'un à l'autre et il jouit toujours de la même fièvre humaine.

*

Assez de photos, assez de photos ! Assez d'articles savants et subtils, remplis de théories abusives et captieuses sur tel ou tel objet étiqueté dans un musée !

Ainsi la Grèce est un objet artificieux et étiqueté et pourtant je veux encore voir et toucher la Grèce. Il me semble que ce sera fraîcheur et vérité en comparaison de la comédie des temps et des modes que nous jouons dans cette revue.

Et puis, il y a en moi une pensée de plus en plus occupante : il me semble que, touchant la pierre de telle ou telle ruine, je pourrais la fortifier, la vivifier. Décidément cette pensée vivrait en moi.

★

Je n'ai pas peur de l'envahissement de mon âme par l'âme de l'enfant, mais j'ai peur d'être ainsi lié à Jeanne à jamais. C'est son âme à elle que je crains et qui s'imposerait à moi sous le prétexte de cette âme d'enfant.

★

Ma peur d'avoir un enfant est partout et nulle part. Dix prétextes, dont aucun n'est bon. En fait n'agit que la peur en soi. La peur de vivre, la peur de se manifester, de remuer, la peur d'être.

Mais non, déjà la désuétude d'être, le besoin inextinguible d'aller au-delà de l'être.

★

Je ne sais pourquoi ce printemps si léger prend un aspect si solennel. Il semble que quelque chose se prépare. Moi qui en vieillissant, à mesure que ma vie est plus calme, plus réglée, me sens l'âme comme un vase toujours plus sensible et friable, parcouru de légères fêlures qui passent comme des frissons, je ressens comme un répit. Que va-t-il se passer ?

Jeanne est de plus en plus grave, me regarde avec des yeux de plus en plus profonds. C'est peut-être seulement parce que nous avons ce nouvel appartement, si exquis dans sa modestie. Elle se sent enfin dans son nid. Elle qui comme moi a roulé si longtemps d'hôtel en meublé C'est important pour une femme de faire son

nid. Pour moi, rien ne tient à moi. Je n'ai jamais rien
possédé. Les objets, je les perds ; les livres, mes amis
me les volent. Elle se croit fixée, elle croit m'avoir fixé.
Elle compte sur mon vieillissement. L'autre soir, elle
passait ses doigts pointus dans mes cheveux. Je lui dis :

— Tu comptes mes cheveux gris ?

— Oui, c'est à moi, les autres femmes ont eu tes ridicules cheveux de jeune homme.

Elle me dit cela avec une assurance, un défi tran-
quilles.

★

Il y a quelque chose de terrible et de fascinant dans
mes amours avec Jeanne : ce sont mes dernières amours.
Après elle, il n'y en aura plus d'autres, après le moi
qu'elle aura encore connu, il n'y aura plus de moi. Par
le bienfait de la vieillesse, je me perdrai dans quelque
chose de plus vaste, ou bien je me serrerai dans quelque
chose de plus intime que cette figure somme toute
publique que j'ai faite jusqu'ici.

Elle le sait. Je le lui ai dit. Mais dans son esprit de
femme que fait-elle de cet avertissement ? Elle se dit que,
n'étant pas à d'autres, je serai tout à elle. Quand je l'ai
rencontrée, déjà en moi se préparait cette grande disso-
lution que sa venue a retardée — seulement retardée.
Avant qu'elle ne soit là, quelque chose en moi déjà la
dépassait.

Mais elle-même songe à me dépasser puisqu'elle veut
un enfant.

Elle veut un enfant. Cela ne fait plus de doute. Quand
elle me tient dans ses bras, elle ne me lâche plus. Bien
avant et bien après le plaisir, elle m'investit et m'en-
clôt. Tout le temps que je suis à la maison et dehors, au
cinéma, à la campagne, elle m'épie, me hèle, m'enchante
à son piège. Elle n'est plus que piège. Plus du tout
coquette, mais enduite d'une onction magique, sacra-

mentelle. Je suis comme une bête sacrée que cette prê-
tresse orne de bandelettes et mène doucement au sacrifice.

Elle est silencieuse, fine, transparente. Sa beauté est
toute vibration calme.

★

Nous avons publié dans *l'Art au XXᵉ siècle* toutes les
preuves. J'ai soufflé à mon patron une véritable campagne pour introduire au moins dans le public des
lettrés et des délicats cette idée acquise depuis longtemps
chez les savants, au moins chez une part d'entre eux.
Mais rien n'y fera et quand je prononce le mot Grèce
me revient toujours ce relent de banalité : une Grèce
toute blanche et rationnelle, toute droite et heureuse
d'un creux bonheur de statue ou de corps athlétique, au
sens idiot que nous donnons à ce mot. Les gens se feront
toujours une idée de la Grèce d'après l'image qu'ont
laissée d'elle sa décadence, sa sculpture faite en série en
Asie ou à Rome.

Mais la Grèce que j'aime, dont j'ai besoin, ce n'est
pas cela. C'est une Grèce intérieure, troublée, anxieuse.
Dominant son trouble, mais le connaissant, le prati-
quant, l'épuisant. C'est la Grèce des religions secrètes
et des philosophies amères, c'est la Grèce de la connaissance tragique. C'est une Grèce qui n'est plus un miracle
dans l'humanité, mais emmêlée à toute l'humanité.
Touchant d'une part à l'Inde, de l'autre à l'Egypte et à
la Chaldée. Qui a tout connu avant de tout perdre, qui
a été tout avant de se renoncer dans le flot lui-même
total gnostique du christianisme d'avant le dogme
rétréci. Je goûte en Grèce ce qui n'est pas seulement la
Grèce mais toute l'humanité douloureusement savante
d'un secret indicible, ineffablement mystérieuse.

— Les vacances approchent et je me sens déjà travaillé par cette frénésie de luxe qui alors s'empare de

nos contemporains et leur fait convoiter les flots de la mer ou les arbres de la forêt comme, au moment des fêtes de l'hiver, les chocolats, les vêtements, les maisons, les plats, les billets de banque. Mon rêve serait d'obtenir de mon patron mes vacances en octobre. Alors, il y a moins de monde à Athènes et le Parthénon serait à moi — enfin, à nous, à Jeanne et à moi. J'en parle à Jeanne. Elle qui s'était docilement excitée sur mon rêve, hoche maintenant la tête avec un sourire vague.

— Tous les jours maintenant, je parle à Jeanne de ce voyage en Grèce. Peu à peu elle sort de sa légère rêverie et me regarde avec une attention croissante, un peu étonnée, un peu triste.

— Ces adolescents qui se cabrent fièrement immobiles sur leurs petits chevaux, à la frise du Parthénon, ils étaient en chair et non en marbre. Et aussi ils portaient dans leurs petites têtes des philosophies subtiles, contradictoires, amères. Et ils allaient devenir ces « pâles » suiveurs de Socrate qu'Aristophane vitupère dans les *Nuées*. Ainsi, la gloire de la frise n'est qu'un court moment d'équilibre entre le primitif et le décadent. Déjà mûr, enfin mûr, pas encore trop mûr : le temps est court pour les peuples comme pour les individus. Je sens la tragique magnificence du « never more » bien plus pour Athènes que pour moi. Le bon moment pour la grande philosophie de l'Inde a été aussi court : beaucoup d'indianistes pensent que quelques-uns des plus importants brahmasutras ont été rédigés vers le v1e siècle avant Jésus-Christ, presque dans le même temps que commençait cette aiguë décadence : le bouddhisme.

Alors sans doute il y eut de grands ascètes, de grands penseurs au pied de l'Himalaya parce qu'il y avait encore de grands guerriers. Quand il n'y a plus de héros, il n'y a plus de saints. Il faut une grande force de vie pour critiquer la vie et du même mouvement athlétique l'homme accepte et refuse la vie. Ainsi dans l'Inde, en

Chine, en Egypte, en Chaldée, en Grèce, en Palestine, dans l'Europe du moyen âge. Savonarole contemporain des grands peintres italiens qu'il veut détruire, Pascal contemporain de Retz, l'affamé de puissance.

Conversation avec mon patron.

— Comment pouvez-vous aimer ceci et cela ? lui dis-je brusquement en lui montrant les photos de deux articles contigus dans le prochain numéro de la revue : des sculptures du vi^e siècle grec — plus essentielles, plus étroitement équilibrées dans leur « archaïsme » que les classiques du siècle suivant — et des reproductions de Manet et de Degas qui relèvent d'un sensualisme exquis mais terminal.

Il me regarde avec ahurissement, avec ce mélange de méfiance et de curiosité dont il salue toutes mes boutades, se demandant toujours s'il n'y a pas quelque chose à y prendre pour que notre collaboration lui soit toujours plus parfaitement profitable. Je précise :

— On ne peut pas aimer la jeunesse et la vieillesse.

— Que voulez-vous dire ?

— Au temps de Degas, la France était une exquise vieillarde.

— Rien de plus jeune que Degas.

— Par rapport à Derain, pas par rapport à Delacroix.

— Vous êtes un sophiste. On peut soutenir que Degas est plus *jeune* que Delacroix.

— Pas dans l'essentiel de l'art, dans la sûreté de geste du dessinateur, dans la sûreté de coup d'œil du coloriste. Un homme de soixante ans, si admirablement conservé qu'il soit, si solidement entraîné qu'il ait été dans sa jeunesse, ne marche pas comme un homme de trente ans.

— Alors, vous croyez à la décadence de l'art, cette blague de réactionnaire, d'ignorantin, vous le pilier de *L'Art au XXe siècle*, vous qui avez écrit les *Petites Etudes sur le Cubisme et le Surréalisme* ?

Dans ces petites études, j'ai bien noté que les meilleurs dans une décadence sont ceux qui sont à sa pointe, qui en épuisent le poison. Certes, Picasso a compris que la seule façon de produire encore de notre temps était de détruire, et de jouer avec les éléments libérés par la destruction, avant qu'il ne soit trop tard. La belle affaire de constater que Picasso a raison contre les peintres des salons officiels. Il démontre avec talent ce qu'eux avouent stupidement. Un génial vieillard de quatre-vingts ans n'en a pas moins quatre-vingts ans.

— Au fond, vous êtes contre tout ce que nous faisons.

Je lui demande de prendre les vacances en octobre. Il me répond qu'il ira à New York alors pour la grande vente Cohen. Il ne peut m'accorder mes vacances qu'en août. Mon rêve est encore par terre pour cette année. Je le dis à Jeanne qui me regarde avec une commisération appliquée.

— Je n'irai pas en août à Athènes, avec tous ces salauds de touristes.

— Alors, où irons-nous ?

— N'importe où. Je m'en fous.

Une sorte d'angoisse la prend.

★

— Je ne veux pas aller sur cette Côte d'Azur où en août campe l'infâme foule de la ville, ventripotente, automobiliste et campeuse. Dans ce mois de dévergondage, il faudrait rester chez soi ; mais d'autre part, j'ai besoin de nager. Nager, me laver, me lustrer dans une eau salée : sans quoi, impossible de continuer le reste de l'année de gagner de l'argent et d'étudier l'art de tous les temps. Nous irons dans une petite île bretonne où il n'y a pas grand monde, où les conditions sont austères.

Jeanne, rassérénée, approuve doucement. Elle sait

bien d'ailleurs que si elle n'approuvait pas, ce serait la même chose : mon égoïsme est incorruptible. Il prend à ses yeux la figure vénérable de mon travail, de ma pensée et c'est aussi le perpétuel caprice d'un homme qu'elle aime parce qu'il paraît ne tenir aucun compte d'elle. Mais qui maintenant vit avec elle, dans ses jupes. C'est tout ce qu'elle demande et le reste est un ragoût, ma distraction, la défense de mon for intérieur.

Mon for intérieur, elle est dedans comme l'humidité dans un vase poreux.

L'un de mes grands-pères avait quatre enfants : trois filles et un garçon. Des trois filles, l'une fut religieuse, l'autre bréhaigne, une autre eut quatre enfants. Le fils m'engendra. Mon autre grand-père n'eut qu'une fille.

Si je n'ai pas d'enfants, quelle différence entre moi et un pédéraste ? Quelle différence entre mes amours et celles d'un pédéraste ? J'ai d'ailleurs des amis pédérastes qui ont des enfants ; pas seulement Frédéric.

Ce que je veux, c'est une religion qui s'équilibre entre le corps et l'âme, entre le monde et Dieu. Il y a Dieu et il y a la création. La création n'est pas mauvaise, mais c'est un mystère incompréhensible, insondable. Pourquoi Dieu a-t-il fait le monde ? Peut-être que l'œuvre d'art, la beauté justifie *la folie du fini*. (Et aussi l'œuvre de charité, d'amour ? Mais ceci m'échappe à l'infini.) En tout cas, le mal c'est seulement le momentané éloignement de Dieu. Le péché originel, c'est le processus de dilatation du divin, la souffrance qu'il comporte, les enchaînements qu'il implique. Mais tout cela est compensé par la joie, la grâce. Il y a pour nous au sein de la création une joie, prélude de la joie du retour à Dieu. Et nous ne pouvons jouir et fortifier notre âme ici-bas que dans l'équilibre de notre corps.

Du moins est-ce la loi pour l'ensemble des hommes, qu'il faut considérer en tant que société éminemment terrestre. Les merveilles de la grâce, de l'ascèse, de la sainteté, ne sont que pour un petit nombre de hors-la-loi. Pour la plupart il faut que religion et politique se composent, se compensent. La religion ne l'emporte que comme une démarche ultime, pour quelques outranciers.

Dans ma discussion avec Köln, l'autre jour, j'ai mal choisi mon exemple peut-être. J'aurais dû comparer Degas à quelqu'un de plus sûr que Delacroix, à Watteau. Sans doute, la décadence est brusque et jusqu'à la dernière minute la vertu de la race est entière. Est-ce que Degas dessine moins bien que Watteau ? Il dessine autrement, et exprès. N'en est-il pas de même pour Matisse ?

Mais dans cette volonté de faire autre, il y a un symptôme, un aveu, une résignation, un renoncement. L'homme se lasse d'être grand, d'être lui.

Nous allons partir pour cette île bretonne. Jeanne est envahie par un sentiment de piété extraordinaire, une sorte d'extase modeste et silencieuse, elle reçoit l'amour comme un sacrement.

*

Pour permettre mon départ, j'ai beaucoup travaillé ces temps-ci ; j'ai mis sur pied tous les numéros d'été de la Revue. De loin, quand j'y pense sous l'angle de mon destin en général, ce travail me paraît vain et fastidieux ; quand je suis dedans, ce travail me donne une satisfaction entière. C'est la jouissance insensée de l'artisan, anonyme, éperdu dans son anonymat. Choix des caractères, mise en pages, tirage des photos, tout cela me comble le cœur. A Jeanne je dis : « Je suis un maniaque », mais je ne peux même plus imaginer que je serais plus heureux et plus fier si j'étais un poète et pouvais sortir de mon âme les vers qui y dorment, qui y dorment à jamais. Il est vrai que j'écris aussi des articles dans la revue. Les uns disent qu'ils ne valent rien, les autres qu'ils valent beaucoup. Je ne les signe pas.

Il y a un autre aspect fascinant du travail qu'on fait à *L'Art au XX⁰ siècle*, c'est son caractère de liquidation. Il semble que nous nous hâtions de dresser un bilan final de tout l'art humain. Sans doute parce que l'art est en décadence partout sur la planète, en Chine comme en Europe, en Amérique comme en Afrique.

Ce sentiment ajoute encore au plaisir de poursuivre avec soin une besogne perdue qui rejoint l'oraison du mystique. Le symbole humain par excellence m'a toujours paru celui de Robinson Crusoé. Un homme seul, perdu au large de tout et qui construit sa maison. C'est qu'il croit que quelqu'un le regarde et que cela se saura. Je crois que les photos que nous publions sont si belles qu'elles valent pour l'éternité et que Dieu les voit.

✱

Jeanne et moi, nous sommes arrivés dans cette petite île.

✱

Toute ma vie, j'ai été obsédé par ce thème des îles. Quand je suis dans une île, il me semble que je suis à ma vraie place : de la terre et loin de la terre, de l'humain et loin de l'humain.

★

Aussitôt que je suis dans la nature, je n'ai plus envie de faire l'amour, au moins pour un temps. Cette convulsion me paraît trop particulière et se dissout dans le halètement universel. Je ne me sens plus et je ne sens plus personne près de moi. A Paris, c'est autre chose, il y a l'illusion des murs. Il me faut non seulement la ville, mais l'hiver, le dédale des rues, les écrans du chaud dans le froid. Caché au fond du labyrinthe, je découvre cette figure de la femme, cette petite superstition aiguë. Dans les longues soirées calmes près du feu, elle s'assure peu à peu de tous les prestiges que je lui prodigue.

Nous sommes dans une petite villa de trois pièces, au bord d'un chemin. De l'autre côté du chemin, il y a une faille dans le rocher et c'est la mer. Les humains passent entre nous et la mer.

Il y avait toutes sortes de babioles très laides dans la maison, nous les avons enlevées et fourrées au grenier. Curieux signe de notre temps : d'une part tant de laideurs et d'autre part ce besoin de vide qui ronge certains. Pour eux, le vide semble le dernier recours à la beauté.

★

Elle n'est pas bien belle, cette île. Ce n'est plus qu'une entreprise pour exploiter la mer : industrie de la pêche, industrie hôtelière.

Les pêcheurs : avec mon mimétisme — ce mimétisme qui m'inquiète parfois sur moi-même, qui m'oblige à m'observer avec une surprise curieuse — je voudrais tout d'un coup être débarrassé comme eux de l'idée de beauté. Ils sont beaux — encore assez beaux — et ils ne le sauront jamais et ils le nient de toute leur rage d'être pauvres et travailleurs et pêcheurs. Ils haïssent la

mer, leur bateau, leur patron, l'argent qu'ils gagnent.
Ils n'aiment que l'argent qu'ils ne gagnent pas, Paris
qui leur dépêche chaque année des messagers de déses-
pérante séduction. Une seule chose les console : c'est
d'être communistes et de se saouler tous les jours de
leur vie. Oh ! comme ils boivent. La terre produit l'alcool
qui consomme et consume la terre. Les marins n'aiment
ni la mer ni le ciel, ni les voiles ni les poissons. Ils
haïssent les Parisiens, et ils voudraient être Parisiens.
Ils se tuent d'alcool par honte de ne pas entrer une
bonne fois dans les hôtels et d'y massacrer tous ces grin-
galets et ces freluquets, ces ridicules promeneurs à
lunettes avec des biceps en coton et une suffisance qui
déshonore à jamais la nature. Et ils violeraient les bourgeoises et ils les attelleraient avec leurs femmes à la
besogne mortelle d'être des femelles d'ivrognes, enceintes
de toutes les syphilis de la marine de guerre.

Et moi, pourquoi est-ce que je ne tue pas mon patron
qui usurpe sur tous mes royaumes, qui a mis son derrière sur mes royaumes ? C'est sans doute pourquoi il y
a en moi de la honte et de l'amertume.

Pour ces pêcheurs, je suis la même chose que mon
patron et ils me regardent avec une haine particulière
parce que je les regarde dans les yeux où je lis leur haine
et leur faiblesse qui n'ont d'égales que les miennes, et
parce que j'ai une jolie femme et parce que mon air
modeste pourrait les enjôler.

Jeanne est entièrement absorbée. En elle-même ? Dans
la nature ? Dans sa besogne de ménagère ? Dans tout
cela peut-être qui ici peut ne former qu'un seul mouvement. Moi-même, ne suis-je pas absorbé dans mon travail ? Mais mon travail, c'est moi et c'est tout autre
chose. Il me semble que ce que j'écris, je l'écris sur les

rochers ou sur le ciel. Cela s'efface aussitôt, mais le geste d'écrire est à jamais.

★

La nuit, elle dort beaucoup et assez loin de moi. Mais le matin, elle s'éveille avant moi. Je la trouve à demi dressée sur son coude, m'observant avec un regard où il y a une énigme et une interrogation.

★

Cette solitude à deux donne peu à peu à Jeanne un poids que je n'aurais jamais attendu. Triple vertu de la nature, de la solitude et du silence. Quand nous nous promenons ensemble sur les grèves l'après-midi, elle ne me regarde guère des yeux, mais je sens sur moi sa vue morale, douce, pénétrante, irrésistible. Elle est beaucoup plus près de moi qu'à Paris et aussi beaucoup plus étrangère. A la sentir si près de moi, je sens toute l'étrangeté, tout le mystère de son destin à côté du mien.

★

Tout est laid dans cette île, pour ce qui est de la forme. Le terrain fait des plis maussades, n'est ni roide ni mou. Il y a des arbres par-ci et par-là et qui sont posés là aussi bêtement que les maisons. Les landes ne sont pas beaucoup plus charmeuses que les champs. Les rochers sont à côté du sablé. Et cela est bien. En tant que témoignage humain, cela vaut le luxe de la beauté grecque et le Parthénon dans son écrin de joaillier pour historiens, millionnaires de l'histoire.

La mer. Elle est si évidente que ce n'est pas la peine d'en parler, en dépit des tours extraordinaires qu'elle peut jouer encore à la vieille imagination. Ce n'est pas la peine et on n'en a pas le droit, puisqu'elle est à ses marins qui ne l'aiment pas, qui la haïssent et qui songent à leur couteau quand, devant eux, on la regarde avec des yeux pâmés de citadins en goguette.

Il y a aussi le ciel et cette atmosphère d'Occident où les couleurs sont lavées par l'air humide.

★

Avec ma préférence indélébile, j'ai apporté ici des livres, du papier et de l'encre et le matin au lieu de me promener dans le début du monde, je lis et j'écris. J'écris une étude sur *La part de l'Aryanisme et du Sémitisme dans la pensée chrétienne*. Mes idées sont aussi concrètes que les galets des grèves que je foule l'après-midi avec Jeanne.

★

Je n'ai ici aucune envie de Jeanne et elle ne s'en soucie pas. Elle s'affaire dans la bicoque, va au marché, fait la cuisine. Puis elle ouvre un livre et semble bien le lire.

★

L'autre nuit, je me suis réveillé. Elle était éveillée et elle écoutait, la mer, le vent ou autre chose.

Elle est saine, fraîche, comme un peu engraissée.

★

Voici une sentence du Dante qui satisfait mon besoin de concilier christianisme et paganisme :

> *Questa provide, giudica et persigne*
> *Suo regno come il lore* li altri dei.

C'est dans le chant septième de l'*Enfer*, il parle de la

fortune. Donc ce chrétien admet au-dessous de Dieu des Dieux. Sans doute était-il hérétique, albigeois, caballiste. Ce genre d'hérésie n'est-elle pas résurgence du platonisme dans le christianisme ? C'est sous des dehors juifs l'idée éminemment aryenne (à la fois grecque et indienne et iranienne) de procession du divin d'un centre pur et inaltérable vers le dehors par une série d'hypostases ou de démiurges. C'est Platon complété par Plotin.

★

« A l'origine, il n'était rien que le *soi*, tout seul. Il désira : Puissé-je avoir une épouse, et engendrer, et posséder la richesse, et accomplir des actes ! En vérité, cela embrasse tout désir, et on ne saurait trouver rien de plus à désirer. C'est pourquoi, aujourd'hui encore, celui qui est seul désire : Puissé-je avoir une épouse, et engendrer, et posséder la richesse, et accomplir des actes ! Aussi longtemps que lui manque un seul de ces objets, il se sent incomplet... »

Ainsi est-il dit d'abord dans la Première Leçon dans l'Upanishad du Grand Aranyaka, mais sans transition, avec une inexorable indifférence pour les précautions oratoires, la sainte parole aryenne continue, détruisant le sens apparent de ces premières phrases :

« Voici sa plénitude : la pensée est son *Soi*, la parole son épouse, le souffle sa progéniture, la vue les biens terrestres — car c'est seulement par la vue qu'on les découvre — l'ouïe les biens célestes — car c'est par l'ouïe que se perçoit l'enseignement ; le soi-même est son activité, car c'est par le Soi qu'on agit. Quintuple est le sacrifice, quintuple la victoire. »

★

Jeanne, ce matin, au réveil, m'a regardé dans les yeux comme elle ne m'avait jamais regardé même dans ces derniers jours où elle me scrutait si profondément, me regardant ou ne me regardant pas, avec des yeux où il ne s'agissait plus d'être beaux et de plaire et elle m'a dit : « Je suis enceinte. »

★

Silence de mon âme. Hier, je n'ai rien répondu à Jeanne. J'ai regardé l'île qui n'a rien ressenti du choc que j'ai reçu et qu'avec un son mat j'ai renvoyé à Jeanne. L'île est là, laide, enveloppée de beauté, comme un caillou terne posé dans un multicolore mouchoir de soie ; l'île est muette comme moi : J'ai dit à Jeanne : « Ah bien. »

J'étais terriblement immobile, j'ai eu honte de mon immobilité, j'ai voulu avoir un geste, je l'ai prise dans mes bras. Sans rien dire, par grâce elle s'est laissé faire avec un gémissement imperceptible, elle attendait de moi un cri qui n'est pas venu. Il y a eu tout de suite en moi un refus décisif.

La journée d'hier s'est passée comme si de rien n'était. J'ai travaillé le matin à mon étude d'histoire religieuse et j'y ai bien travaillé ; j'ai pensé et écrit, j'ai continué la rédaction du chapitre : « De l'influence de l'Avesta sur les prophètes hébreux. »

L'après-midi nous avons été nous baigner sur cette longue grève déserte.

★

Le cahier où je consigne ce journal commence à me faire horreur. C'est la première fois de ma vie que je tiens un journal ; du moins aussi longtemps. Cela n'est nullement dans mes habitudes. Autrefois, pendant quelques jours, à des moments de crise, j'ai été pris de ce besoin humain d'écrire sur les murs. Un nom, deux noms, un cœur percé d'une flèche, une date.

Dans cette île dévêtue et dénudée par le vent, mais dissimulant des creux feuillus et herbus, d'inattendus vallons qui sont comme des débris ou des promesses de continents plus terreux et plus duveteux, il y a un charme de douceur. Par exemple, les délicates couleurs des maisons le laissent transparaître. Ce n'est pas le gris compact de la Bretagne ; ce sont de frais et gais badigeons qui allongent leurs bandeaux nuancés tout le long des corniches : beiges, blancs et roses. Cela s'accointe au Marais voisin et cela paraît même comme la narquoise et féerique promesse d'un autre climat. Climat méridional ? Je ne le souhaite pas. Comme c'est mieux mon affaire, cette atmosphère moirée d'Ouest que la dure crudité du Sud ! Ici, les couleurs sont avivées par l'humidité de l'air, mais toujours fines.

L'Ouest et le Nord sont pays de couleurs, si le Sud est pays de lumière.

Comment se fait-il que la Bretagne n'ait pas donné de peintres ? Les Celtes sont trop poètes pour être peintres. Poésie terriblement étouffée depuis des siècles par l'envahissement du Français. Cruauté d'une patrie qui tue tant de petites patries, cruauté de Paris qui à de longues distances assassine les âmes.

★

Hier, légère brume et grisaille tout le jour. J'étais chez moi dans cet enveloppement discret de tout. La nature s'arrangeait pour que je rêve et je pense.

La Bretagne a donné à la France Abélard et Renan qui ont entouré les choses humaines et divines d'une subtile incroyance, d'une rêveuse raison, d'un humour énigmatique dans ses lointains. La parenté avec les Irlandais s'impose : Swift et Joyce, par exemple. J'ai un peu de sang breton. Légendes du sang.

★

Notre bicoque est au bord du chemin et je regarde passer les gens, les rares habitants de cette île déserte, ravagée par le dégoût de vivre, par l'horreur et la haine de la nature. Les autres sont à Paris, ouvriers d'usine ou contrôleurs du métro. Et moi de même...

★

Je remarque une jeune paysanne aisée qui passe devant notre porte avec la régularité des heures. Elle a la coiffe et le long manteau. Elle habite dans une de ces jolies maisons. Le bandeau de la sienne est rose et beige. Si j'entrais dans cette jolie maison, sans doute y trouve-rais-je beaucoup de mesquinerie et une odeur fade, qui doit être aussi sous les plis de son manteau.

★

Elle a un de ces visages bretons qui heurtent notre sens habituel de la beauté, car ils sont faits de reliefs bossus et contrastés. Ils flattent en nous de façon inat-tendue la nostalgie exotique. Je parle du type breton qui montre des fronts ronds et renflés, des pommettes sail-lantes, des petits nez enfoncés et un peu épatés. Il y a un autre type breton long, aquilin, quelquefois comme indien ou sémite.

★

La passante a l'air si droit, si net, si pur. Aujourd'hui, elle avait deux petites filles à la main. Si je la tenais dans mes bras, monterait vers moi une odeur sure et l'haleine moisie de ses aisselles.

★

Toute notre philosophie d'Occident, depuis les présocratiques jusqu'à Nietzsche, n'est qu'une ridicule contorsion au regard de l'inénarrable pureté, de l'inénarrable profondeur indienne.

★

Je suis seul, seul. Qu'y a-t-il au fond de ce sentiment de la solitude ? Le divin séparé de lui-même se rejoint, se resserre délicieusement. Dieu est Dieu et je ne suis plus. Ce n'était que par une erreur imperceptible que je me distinguais et discernais. Le délice de solitude, c'est sentir cette immarcescible unité de Dieu.

La passante a des yeux d'eau.

★

Le monde n'est pas Dieu et moi je ne suis pas Dieu. Mais Dieu seul est. J'apparais comme un imperceptible et fugitif frisson quand Dieu se retourne dans son immobilité.

A un plus bas degré, le monde est par rapport à moi comme moi par rapport à Dieu. Mon âme est sur mon esprit une ride et sur cette ride l'apparence des choses une plus imperceptible ride encore.

★

Je dis Dieu, par habitude occidentale. Mais ce mot n'a rien de commun avec la notion grossière et ridicule de Jéhovah.

Il y a plutôt que Dieu, le divin ; il y a ce que les Indiens appellent le Soi, l'Atman, ou autrement Brahman.

« En vérité, à l'origine, Brahman seul existait. Il ne connaissait donc que lui-même. « Je suis Bahman » ; et il était le Tout. Puis chacun des dieux le fut, au fur et à mesure qu'ils s'éveillèrent à la pensée ; de même des rishis, de même des hommes. C'est ce que voyant, le rishi Vamadeva a déclaré : « J'ai été Manu et Surya. » De même aujourd'hui, celui qui sait ainsi : « Je suis Brahman », celui-là est le Tout, et les dieux eux-mêmes ne peuvent l'en empêcher, car il est leur Soi. Et celui qui considère que la divinité est autre : « Le dieu est un et moi je suis un autre », celui-là ne sait pas. »

La plus grosse bourde qu'on puisse faire est de voir là du panthéisme : « celui-là est le Tout », cela veut dire : celui-là a rejoint par une série infinie de méditations et d'ascèses, à travers plusieurs vies, l'essence du Tout. Et c'est encore bien plus subtil et pur que cela.

★

Rien donc ne peut avoir de prise sur moi, pas plus Köln que Jeanne. Je suis maître des apparences. J'admets et je récuse les apparences tour à tour. Les pièges de Jeanne ne sont rien pour moi. Les beaux bras de cette jeune femme qui seraient anneaux d'acier pour un autre homme, je les brise ou je glisse à travers la contraction de leurs atomes avec une facilité qui abolit l'incident à peine né. Ce ne sont que festons, ce ne sont qu'astragales. Je les connais, les humains avec leurs pièges et leurs appeaux : Jeanne et son enfant, Köln et son *Art au XX° siècle*, et même la terre avec son Parthénon et sa Notre-Dame de Chartres.

★

Je suis entré dans l'église qui est moderne, donc aussi laide en dehors qu'en dedans. Comme tout nous blesse de notre temps ! Il y a pourtant la beauté des machines. J'ai essayé une fois de me recueillir et — oserai-je dire — de prier dans la paix d'une centrale électrique où il y avait plus d'ordre et d'harmonie que dans une église encombrée de chaises et de grotesques saints Joseph, fardés aux lèvres, calamistrés à la barbe et théâtralement enjuponnés, alors qu'ils devraient au moins porter des pantalons comme tout le monde.

Ce n'est pas vrai, ce n'est pas à cause de l'argent que je ne veux pas avoir d'enfant de Jeanne. Je n'ai pas besoin d'argent. Pendant des années, je me suis passé d'argent et cette situation que je suis arrivé à me faire chez Köln, si médiocre qu'elle soit, je pourrais aisément la perdre.

Je ne veux pas avoir d'enfant parce que je ne veux pas obscurcir Dieu. Bien assez de mon moi, inutile d'y ajouter celui de Jeanne. Le temps est passé de me nourrir des épaisseurs du monde. L'heure est venue de tout brûler comme une viande sur l'autel du sacrifice.

La pureté du Dieu est aussi offusquée par ce caractère officieux dont peu à peu on m'investit à *L'Art au XX* *siècle*. Je ne veux pas être une compétence reconnue et classée ; je sais ce qu'en vaut l'aune.

Et puis surtout il y a Köln, le regard de Köln sur moi, qui me souille bien plus qu'il ne m'humilie.

La passante était là. Elle semblait prier. Que pouvait être sa prière ? Mais rien. Elle offrait seulement son attitude droite, le ralentissement de sa pensée. Si elle songeait à ses comptes de ménage, c'était avec douceur. Cela était bien.

*

La passante sait que je la regarde.

*

Non, ce n'est pas Köln qui m'humilie, mais moi qui m'humilie devant Köln. Le service de Köln n'est pas un service ordinaire ; c'est pour moi une abjection. Dès la première minute, je me suis senti abject.

*

C'est la faute de Jeanne si je m'enlise dans le service de Köln. S'il n'y avait pas Jeanne, je me moquerais de l'argent comme par le passé.

*

La passante sait que je la regarde. Si je la regardais pendant des mois, le drame commencerait. Mais je partirai, elle le sait et que rien ne dérangera sa tranquillité. Sans doute fronce-t-elle le sourcil en songeant à la folie des hommes, à leur rage de convoitise. Car elle voit près de moi Jeanne, bien plus belle qu'elle.

*

Peut-être pourrais-je faire un enfant à une femme aussi simple que la passante. Avec elle, ce serait la détente de ma race fatiguée et exaspérée. Comme elle est blonde et bleue et doucement quiète !

Le journal, écrit en 1934, en était resté là. Je ne l'ai retrouvé dans mes papiers qu'après la guerre de 1940. Les pages qui suivent, je les ai écrites par besoin d'achever ce qui était commencé.

Jeanne savait ma décision, elle était écrasée par ma décision. Elle n'espérait aucun secours ; elle avait pendant des jours espéré un cri qui aurait dû jaillir à la première minute, qui n'avait pas jailli.

— Je vais aller à Paris, me faire passer cet enfant, me dit-elle lentement au bout de deux ou trois jours.

— Attends.

— Je ne peux pas attendre. Tout retard rend la chose plus difficile.

— Pourquoi as-tu fait cela ?

— Je n'en ai pas fait exprès.

— Si, j'ai bien vu que tu ne te lavais plus.

— Une fois ou deux peut-être, mais il en a toujours été ainsi quand nous avions été très heureux.

Disant cela, elle me regardait à peine.

— Tu aurais dû attendre encore.

— Je vais me le faire passer.

— Chez qui iras-tu ?

— Je sais chez qui j'irai... Je ne veux pas que tu te maries avec moi parce que tu m'as fait un enfant.

Nous n'étions pas mariés et il n'y avait que quelques mois que nous vivions ensemble. Auparavant, elle logeait dans son école de rythmique et ne venait que de loin en loin passer la fin de la semaine avec moi. J'avais fini par déménager pour que nous puissions cohabiter. Encore avait-elle déclaré, pour me convenir, que cela n'était que provisoire, même pas un essai, tout au plus une fantaisie. Son appartement l'attendait toujours.

Toutes ces manigances tournaient autour de ma terreur de m'attacher, de m'enchaîner. Elle avait prétendu respecter cette terreur, elle prétendait encore peu auparavant l'éprouver elle-même. Ce n'était qu'une feinte dont pourtant elle me laissait user largement contre elle, et maintenant d'une façon décisive.

— Je sais très bien, lui dis-je, que tu accepterais d'avoir un enfant sans être mariée.

— Oui, bien sûr. Pourquoi pas ?

— C'est un assez sale tour à jouer à l'enfant.

— Bah ! ce ne sera pas forcément un imbécile.

— Je ne tiendrais pas du tout à avoir un enfant intelligent. Un enfant, c'est un homme, voilà tout, un homme quelconque. On le met au monde pour son poids de chair.

Elle me regardait avec une attention lasse et triste.

Je ne voulais pas être lié à elle parce que je n'avais pas confiance en moi, je n'avais plus aucune envie profonde de coucher avec une femme.

Avec elle, j'avais eu cette envie très forte au début. Cette envie avait été longtemps contrariée par son refus. Mais bientôt avait cessé son jeu de résistance.

Les inachèvements du premier contact avaient prolongé mon envie. Puis, nous avions eu de beaux moments. Ces heureux moments étaient interrompus de sorte qu'ils pouvaient rebondir. Interruptions, absences, voyages, abandons. Elle avait eu d'autres hommes, moi d'autres femmes ; nous recommencions et c'était très bien.

Tout le temps, elle disait qu'elle m'aimait, qu'elle n'aimait que moi. Et je la croyais, mais cela me touchait peu, car je jugeais qu'elle avait besoin d'un homme à demeure et que simplement mieux qu'un autre je lui paraissais être cet homme.

Je sentais que bientôt je n'aurais plus envie de coucher avec elle, que je n'aurais bientôt plus envie de coucher avec aucune femme.

Quant à l'amour, dont il n'est nullement question ici, je l'avais connu. Mais le souvenir en était enfoui avec celui de la douleur. La plus belle femme du monde ne suscitait plus en moi aucune ardeur. D'ailleurs, je n'avais jamais désiré, ni même regardé les plus belles femmes ; je les voyais prisonnières de leur prestige, vouées fatalement à l'argent et à la frivolité.

J'avais une soif audacieuse de solitude, de silence, de ces risques que sont le silence et la solitude. Si je faisais un enfant à Jeanne, que deviendrait-elle auprès d'un homme qui la regarderait avec une montante indifférence ? Elle remplacerait cet homme comme elle l'avait déjà remplacé aux heures d'absence. Elle le remplacerait à certaines heures, tout en le gardant pour d'autres.

Elle ne m'avait jamais trompé et je ne l'avais jamais trompée ; nous nous étions toujours tout dit. Mais cette misérable licence détruisait mon cœur, sinon le sien. Quels monstres de dureté deviendrions-nous l'un près de l'autre, si je ne couchais plus avec personne et si elle couchait avec tout le monde ou même avec un seul autre ? Comme ce serait dur de ma part de lui imposer ce harassement ! Il n'était pas question de l'entraîner dans les chemins mystiques que j'entrevoyais. Mystiques était un bien gros mot, d'ailleurs.

Me marier et la laisser. Je n'étais pas si résolument méchant, et c'eût été bien méchant à l'égard de l'enfant. D'ailleurs, cet enfant, je l'aurais aimé. Pourquoi ne me suis-je pas mis à aimer cet enfant tout de suite, dès que dans le monde il fut question de lui ? L'enfant né, j'aurais vécu avec elle et l'enfant. Et il y aurait eu entre nous une monstrueuse tendresse. Monstrueuse, car je sentais que bientôt je ne coucherais plus avec elle.

Cet enfant se présentait non comme une fin mais comme un commencement. Je ne sentais pas en moi les forces pour un commencement, du moins pour ce commencement-là. Je me sentais en moi des forces, mais pour un autre commencement. Pour le commencement de ma vieillesse, de ma délivrance, ou mieux pour le commencement de ma maturité et de ma culminence. C'était la fin de mon moi et la germination en moi de l'universellement intime, du divin. Or, elle était atta-

chée à mon moi et l'enfant le serait aussi. Et par l'attachement de l'enfant, je donnerais une nouvelle prise, et
singulière, à son attachement à elle. La mère et l'enfant
me refouleraient, m'investiraient, me maintiendraient
dans mes anciennes limites. J'avais assez cultivé mon
moi, maintenant ces deux-là se proposaient pour le cultiver encore. Trop tard.

★

La mort de l'amour charnel ne donnait pas naissance
en moi à l'amour de charité. Mon évolution spirituelle
n'annonçait pour le moment qu'un plus ignoble confinement bourgeois, un racornissement plus égotiste de
l'individu célibataire.

Je me ruais dans la cuisine où elle préparait le
déjeuner.

— Nous n'avons pas d'argent.

— C'est ce que je vous disais autrefois quand vous me
faisiez la cour. (Nous ne nous tutoyions que dans le lit.)

— Si nous avons un enfant, nous ne pourrons pas
aller en Grèce. Donc pas d'enfant.

Je voulais revoir le Parthénon. Je haïssais le monde
qui m'empêchait d'aller, de retourner au Parthénon.
Cependant, je déplaçais sournoisement la discussion.

— D'un moment à l'autre, je peux perdre ma situation.

Elle me regarda sans indignation et sans colère. Elle
s'était si bien soumise depuis des mois à ma loi, à la loi
selon laquelle j'ordonnais son destin. Elle savait mon
dégoût, mon horreur, ma haine pour mon patron, le
jugement d'ensemble que je portais sur ce travail que
je chérissais en détail.

— Si j'ai un enfant, je serai à la merci du patron.

Elle baissa la tête, l'air très honteux. Elle ne pleurait
pas. Il y avait des semaines qu'elle préparait ses forces

à ce heurt ; mais, auparavant, pendant des mois, elle s'était minutieusement entraînée à détruire toutes ces forces, dans leur sens possible de résistance et de révolte contre moi. Alors, toute sa lente tension des derniers temps cédait en une minute. L'enfant était si loin et j'étais si près ! Et qui sait si son propre égoïsme de jeune courtisane au corps intact, de jeune esthète si raffinée dans sa sobriété, ne se réveillait pas au contact du mien.

— Je vais partir, me dit-elle doucement, il ne faut pas que je perde de temps. Je sais ce que c'est qu'une affaire comme cela ; j'ai une amie qui est passée par là. Plus on attend et plus l'opération est difficile et dangereuse. Je ne veux pas être esquintée.

Ces paroles dites avec une vraie douceur me fustigeaient et chacune faisait monter à mes lèvres une protestation, une dénégation que je refoulais. Je voulais être tout à fait cynique, sans aucune trace d'hypocrisie. Cela ne m'était pas difficile, car toute la rage d'égoïsme qui tournait dans mon enfance s'était relancée comme jamais.

Je prétendais être sans ambition maintenant, parce que j'étais à peu près sûr de gagner ma pitance par l'exercice de mon métier chez un Köln ou chez un autre, parce que j'étais en relation avec les rares artistes et savants qui comptaient pour moi. Cela m'avait permis de tâter les limites humaines au-delà des miennes. Je souhaitais rester dans la pénombre par paresse, amère modestie, et aussi peut-être par crispation de ma délicatesse devant les intimes grossissements qu'implique une affirmation extérieure de la personnalité. Mais enfant, adolescent, jeune homme, j'avais férocement voulu ce minimum d'aisance. J'oubliais trop avec quelle brutalité j'avais exigé de ma mère le plus possible de sacrifices pour continuer mes études et comme je l'avais confinée dans sa petite ville de province au lieu de la faire venir près de moi à Paris. Je craignais la mesqui-

nerie de ses pensées et je voulais défendre contre les
gaucheries de son cœur toute mon allure. Après cela,
je pouvais bien de loin en loin sauter dans le train et
pleurer dans ses bras les coups de ma rigueur.

Ma cupidité, mon avarice n'avaient pas cessé ; elles
étaient d'autant plus implacables qu'elles avaient limité
leur champ d'un trait spécieux et habile. Pas plus, pas
moins. Or Jeanne et l'enfant me ramèneraient au moins.
Les charmes subtils de notre égoïsme à deux cesseraient
dès son apparition, le silence, l'ordre de notre appartement, toutes ses fines dispositions, la liberté de nos corps
et de nos soirées, nos économies pour ce voyage de Grèce
et pour d'autres douceurs.

Tandis que Jeanne était là devant moi, humble et sup-
pliante, et d'ailleurs terriblement pliée et brisée à mon
implacable préférence, j'imaginais les soirées dans
l'étroit appartement avec les cris de l'enfant, la difficulté
de lire, d'écrire, de méditer. Et surtout, le lent et fatal
détournement de toutes nos énergies, des siennes et des
miennes vers le service de cet enfant. Nous ne nous
appartiendrions plus.

— Oui, pars, dis-je d'une voix que je fis aussi dure
que possible.

Elle télégraphia à Paris, s'enquit de l'heure du bateau.
Elle me dit : « Tu resteras. Je n'ai pas besoin de toi. Il
ne faut pas perdre le prix de la location. D'ailleurs tu
as à travailler. Il faut absolument que tu finisses ton
étude d'histoire religieuse. C'est le seul moment de l'année où tu peux travailler tranquille. » Froidement, j'avais
acquiescé.

★

Nous avions encore vingt-quatre heures à passer
ensemble. Je la regardais, je croyais m'apercevoir maintenant d'un léger changement physique en elle. N'était-

elle pas un peu plus forte, un peu plus pleine ? Ses
seins n'étaient-ils pas un peu plus gros ? Je comprenais
maintenant ce qu'elle m'avait indiqué depuis quelques
mois, cette discrète ostentation de son lent émoi, de son
mûrissant propos. Du reste, n'avais-je pas pressenti tout
cela ? Je vois bien maintenant que cela est marqué dans
mon journal.

Dans ce journal, cette délectation par excellence des
égotistes, je me prêtais à cette poussée d'elle sur moi.
N'avait-elle pas été alors pleine et sûre de son vœu ?
Comment ne l'avait-elle pas une seconde défendu contre
moi ? Tout cela avait été flétri par un seul de mes regards,
par un seul de mes silences. En un instant elle s'était
sentie condamnée. Et elle était revenue à sa première
fidélité, celle qu'elle avait mise au service de ma maigre
silhouette d'individu dans l'univers. N'était-elle pas délicate, cultivée tout comme moi ? Ne m'avait-elle pas
choisi comme tel ? Il y avait eu autrefois en elle comme
en moi le même fanatisme secret pour un achèvement
clos. Et à la dernière minute, elle craignait aussi le
désordre dans le délicieux appartement si délicieusement
vide, orné d'objets si rares. Entre le vase de Chine de
l'époque Tang, si blanc, si nu et le masque précolombien, ses seins que je vénérais comme d'autres objets
d'art, purs entre les purs, ne seraient plus les mêmes.

Mes regards ne pouvaient se détacher d'elle et admi-
raient cette légère plénitude de son corps, cette promesse
étrange et périlleuse. Ah ! risquer, aller à la découverte,
la voir se déformer, s'enlaidir, laisser la vie entrer chez
nous avec son tourbillon ambigu de souffrances et de
joies ! Laisser entrer l'inconnu, homme ou femme,
l'humain ! Laisser entrer cet être petit qui serait nous
et tellement autre que nous et qui plus tard, grand être,
exercerait la dure loi des enfants contre les parents ! Ne
fallait-il pas que ma mère fût vengée ?

Il était encore temps. Nous nous promenâmes toute la

journée dans l'île. Elle pouvait manquer son bateau.
Mais, elle comme moi, nous savions que j'étais inflexible.

★

Nous allions entièrement nus sur la plage et je demandais au dieu de beauté qui est la manifestation la moins
incompréhensible du dieu créateur de nous regarder et
de nous juger.

Je sais faire parler les dieux aussi bien qu'un autre
et nous fûmes donc condamnés. Elle, d'avoir consenti à
m'aimer ; et moi, d'avoir osé l'aimer. Elle avait fait ce
qu'elle avait pu pour ne pas trop mentir à cette exigence
inoubliable posée par les sculpteurs dans quelques
endroits du monde et qui vaut bien cette autre exigence
que hurlent les ermites au fond des déserts ; elle était
vraiment assez belle. Mais moi ? Moi, je suis laid. De la
pire laideur, celle qui résulte de la volonté. Si je n'avais
pas abominablement négligé mon corps dès mon enfance,
suivant la pente de déchéance que m'avait soigneusement préparée cette personne ignoblement ignorante
qu'était ma mère, j'aurais pu n'être pas une tache de
plus sur la surface de la terre. C'est pour ne pas voir
cette hideur des hommes que les lions se sont à jamais
résolus à faire semblant de ne pas les voir et ne les voient
vraiment pas. Fut-il un temps où les hommes étaient
beaux comme les animaux ?

Jamais je ne pardonnerai aux religions, aux philosophies, aux politiques d'avoir laissé se perpétrer cette
ignominie du corps des hommes.

Certes, ce séjour terrestre n'est qu'éphémère, le
monde n'est qu'un petit nuage de poussière. Mais la laideur n'en est pas moins un crime aux yeux du moment
comme à ceux de l'éternité. Seuls, quelques saints ont
droit d'être laids. Et encore ?

On ne peut pas révérer le Parthénon ou Jeanne et être

laid comme je suis. Il y en a des millions de plus laids que moi ; mais cela n'arrange rien à l'affaire. Les muscles de mon dos sont comme de pauvres ficelles prêtes à casser.

Je n'avais pas de génie. Qu'est-ce qui me donnait le droit de torturer Jeanne comme je le faisais ? Je regardais Jeanne.

Nous étions sur une longue plage déserte, au bord de l'eau. Au-dessus de nous la zone de sable remontait brusquement, arrêtant court l'horizon, de sorte que nous étions comme dans un étroit couloir de sable entre deux larges coulées de mer et de ciel. J'étais accroupi nu par terre et, devant moi, Jeanne nue était debout, s'essuyant avec une serviette. Nous étions seuls, dans un monde extrêmement réduit. Il y avait un journal entre mes mains desséchées par le soleil, le sel, le vent. Il disait la convulsion des hommes dont certains s'acharnent à maintenir la vie de l'espèce contre la mort tandis que d'autres cherchent la mort de cette espèce, songeant à l'on ne sait quelle autre vie dont la folie du plaisir ou de l'ascèse leur donne une idée. Et il y avait Jeanne avec son visage résigné et fermé, qui pourtant s'entrouvrait encore aux yeux, yeux encore lointainement affamés de moi, de quelque chose en moi. Dans l'effort qu'elle faisait pour frotter sa peau poncée d'athlétesse, ses lèvres s'entrouvraient sur ses admirables dents qui disaient comme l'éternité du beau humain, ses dents si pures, si fortes, qui dureraient si longtemps dans la tombe, plus longtemps que la chair de ses seins. Ses seins étaient là dans le vent et le soleil, si jeunes, si pleins. Le lait déjà s'y composait.

Moi, j'avais aussi de bonnes dents comme ma mère en avait. Et si nous avions cet enfant, il aurait aussi de bonnes dents, comme elle, comme moi. Il rirait ou elle rirait au soleil. Mystère du sexe ; déjà ce sexe était décidé dans ce ventre-là. La peau de Jeanne était hérissée par

le vent ; j'en voyais les grains se darder, pressés les uns
contre les autres. Comme elle était belle, Jeanne, le
1er juillet 1934...

La vie était devant moi et je refusais la vie. Car je
savais que ma décision ne changerait pas. Jeanne le
savait aussi et elle était aussi décidée que moi à me suivre
dans ma décision. Il y avait en moi un terrible refus de
vie, de l'amour. J'admirais Jeanne et je n'aimais pas
Jeanne. Je voyais sa beauté et je voyais les défauts de
sa beauté ; je voyais son caractère droit et les étroitesses où s'étranglait cette droiture. Il y avait une impuis-
sance en moi à la recevoir des grandes mains pourtant
magnanimes des dieux. Il m'aurait suffi d'un petit effort
pour à ce moment frapper le monde, en faire jaillir une
source. Je n'avais qu'un petit mouvement à faire dans
mon cœur pour briser une digue, fendre une écluse : la
source de l'amour jaillirait. A jamais Jeanne serait
transfigurée, exaltée ; elle deviendrait la mère du genre
humain. J'étais Dieu, je pouvais continuer ou arrêter
la création.

Des bribes fatidiques se tordaient devant moi parmi les
algues : « Pourquoi Dieu si grand s'est-il fait si petit ?...
Ce qui est difficile à comprendre, ce n'est pas la grandeur
de Dieu, mais sa petitesse... Comment l'infini engendre-
t-il le fini ? » Il y avait Dieu et il y avait ce couloir de
sable au flanc d'un couloir bleu de mer et de ciel. Que
signifiait ce blason ? Et ces deux humains inscrits dans
ce blason ? Ah ! si Robinson avait eu une femme, avec
quelle piété il lui aurait fait un enfant ! Lui n'aurait pas
rechigné à être Dieu, à déclencher les démiurges, à faire
le monde, à faire la vie.

Mais dans la vie, il y a aussi la négation de la vie. Il
y avait en moi cet appétit de solitude, de pureté, d'immobilité. *Noli me tangere.* Je ne ferais plus jamais l'amour
avec Jeanne. Sa chair si proche était désormais lointaine. Avais-je jamais pénétré cette chair, fécondé cette

chair ? Je me rappelais ces délices dans le charmant appartement. Comment avais-je pu ? Je n'aimais pas Jeanne, je n'aimais pas la femme. Je ne toucherais plus Jeanne, elle ne me toucherait plus. *Noli me tangere.* L'infini crée le fini et regrette l'infini. Dieu veut rentrer en Dieu. Jeanne elle-même, quelquefois, si riche, si pure dans sa peau d'athlétesse, m'écoutant lire les terribles poèmes des mystiques, balbutiait qu'elle lâchait pied et perdait contact avec la terre.

Je savais maintenant que je quitterais Jeanne bientôt. Je ne pouvais pas vivre avec une femme. L'esprit d'une femme, cette faiblesse, cette mollesse d'argile, cette mollesse insidieuse d'argile qui vous colle aux doigts, qui s'attache à vos doigts.

J'avais horreur de ressembler en ce moment à Frédéric, à Zulma la femme aux chiens, aux pêcheurs en train de se saouler désespérément dans le bistrot là-bas au bout de l'île. Mais quel rapport entre ces signes et ma raison ? Quel rapport entre ce peuple et moi ? N'y a-t-il pas eu toujours des ascètes et des solitaires ? Parce que le peuple avait perdu le sens de sa loi, devais-je abandonner la mienne ? Qu'importait que je ne fusse qu'un pauvre intellectuel moyen, un médiocre critique d'art ? Pour un qui s'accomplit dans le génie ou la mystique, il faut cent appelés qui par leurs vagissements le poussent en avant vers son cri.

★

Jeanne partit le lendemain matin. Le bateau était très matinal et je ne l'étais pas. Me lever tôt était un des tabous de ma vie vouée à la nuit. Je n'avais peut-être vu dans ma vie d'autres aurores que celles qui étaient apparues pâles comme les cuvettes du vomissement à la fin de quelques nuits d'orgie autrefois. Il y avait eu aussi des aubes de guerre qui se levaient sur les cadavres de la nuit. D'autre part, Jeanne et moi professions selon la restreinte mode du temps l'horreur des scènes sur les quais. L'épicier du village voisin vint la prendre dans sa voiture et la conduisit au port.

J'entrai chez le marchand de tabac ; c'était là que les pêcheurs se saoulaient. Un silence se fit à mon entrée et à ma sortie. Ayant oublié de prendre des allumettes, je rentrai. J'entendis : « Elle est partie ce matin, elle l'a plaqué. » Je regardai le bavard qui ricana niaisement, avec une demi-teinte de défi. Brusquement, j'allai m'asseoir à sa table. J'admirai l'erreur populaire qui interprétait la situation d'après les apparences : Jeanne était jolie et je n'étais pas beau. J'avais envie de leur conter l'affaire ; la moitié d'entre eux faisait encore des enfants dans l'alcool, l'autre moitié n'en faisait plus et hurlait à la mort à l'idée d'en faire. « Des enfants pour le travail, pour la guerre, pour la mort. Ah, non ! »

Je m'étais assis au milieu d'eux pour ne pas esquiver la ressemblance avec eux dont je faisais fi, mais qui me taquinait le foie. Les hommes qui étaient là avaient la peau cuite par l'embrun et par l'alcool, des yeux d'eau comme cette paysanne que j'avais épiée. Ils me regardaient avec cette gêne des gens du peuple devant les bourgeois qui n'a d'autre issue que la haine, à moins que les bourgeois ne finissent par en avoir assez et ne trouvent le mot du salut. J'avais demandé un verre, je ne disais rien. Eux-mêmes restaient muets, mais à la longue ils se mirent à chuchoter entre eux, puis à ricaner. La haine demeurait en eux. J'aurais pu faire cesser cette haine, car il est aussi facile de séduire les hommes que les femmes. Mais du moment que je n'avais pas d'enfants, il n'y avait aucune raison de s'intéresser à ce peuple et de le tirer de la haine qui le tourmentait et le convulsait : ce peuple finissait avec moi.

*

Je me suis arrêté plusieurs jours, écœuré. Ce qui se passa après le départ de Jeanne fut si abominable que je m'étonne de l'écrire.

Car après tout, rien ne me force à écrire. Je ne suis pas un écrivain, mon habitude ne me contraint qu'à traiter de l'histoire de l'art ou de l'histoire des religions.

Pourquoi dit-on histoire de l'art et histoire des religions ? Il n'y a pourtant qu'une religion, la même en Egypte et la même en Amérique précolombienne, la même en Inde et en Chine, la même en Grèce et dans l'Europe médiévale. Toujours un Dieu au-dessus des dieux, des héros, des saints, des démons. Toujours le mystère de la création du monde. Toujours une âme immortelle. Toujours la rédemption de cette âme. Toujours un dieu sauveur, qui meurt et qui renaît. Toujours un paradis et un enfer. Toujours le Saint-Esprit qui enveloppe, anéantit et dépasse tout et même la notion du Dieu créateur et celle du Dieu sauveur. Avant de mourir, je voudrais publier une petite bible de l'humanité, un petit manuel de la Tradition, un synoptique des initiations, des révélations, une chronique de l'Esprit à travers les nations.

Mais c'est justement parce que je ne suis pas un écrivain que j'écris ceci. La littérature n'est qu'une forme édulcorée de la confession, du témoignage qui sont fonctions éternelles de l'homme, fonctions préalables à l'oraison.

*

Je n'aimais pas Jeanne. La suite de cette histoire le prouve, si c'est possible, encore mieux que le commencement.

Je relis les dernières lignes écrites hier et je doute

fort. Avant d'écrire, je ne réfléchis guère et il me semble toujours ne penser que la plume à la main. En tout cas, je ne sais jamais laquelle des pensées qui mûrissent en moi va sortir du bec de ma plume au moment où je la pose sur le papier.

J'aurais pu aussi bien écrire : je comprends maintenant que l'explication de toute cette histoire, c'est l'idée du péché originel.

Cette notion du péché originel, qui me paraît si étroitement moraliste chez les chrétiens, me séduit comme symbole de l'aventure cosmique, métaphysique, comme symbole de la chute de l'esprit dans la matière. Saint Paul a installé son puissant psychologisme dans cette idée de la chute de l'esprit dans la matière qui était autour de lui toute-puissante dans les religions de mystères auxquelles il avait été, peut-être sans le savoir, initié.

Un des ordres de faits qui familiarisent cette notion dans l'esprit du commun, c'est le déterminisme de l'hérédité familiale. Peut-être n'ai-je pas voulu avoir d'enfants avec Jeanne, ni avec d'autres femmes parce que j'ai toujours senti obscurément peser sur moi ce déterminisme. Pourtant, le fait est que dans ces jours de l'île avec Jeanne, je n'y ai pour ainsi dire pas pensé. Ce n'est que récemment que j'en ai pris pleine conscience. On peut vivre pendant des années avec une idée capitale sans la regarder en face, sans même se soucier de sa présence. Est-ce la puissance de l'instinct qui la refoule ? Ou bien est-ce retard de la vie qui n'a pas le temps de labourer tous les champs de la conscience ?

Je vais donner maintenant trop d'importance à une pensée qui n'en a pas, puisqu'elle n'en a pas eu dans le temps qu'il fallait. Je persiste à croire que tous les autres motifs que j'avais mis en avant auraient suffi à me décider contre l'enfant.

En tout cas, parlons de ce péché héréditaire : mon

père est mort fou et ma sœur est folle. Moi, je me porte
comme le Pont-Neuf ; mais je crains que le mal qui m'a
épargné ne frappe de nouveau. J'en ai parlé à des médecins qui m'ont dit que tout cela était fort douteux et
qu'au compte où je mets les choses, qui pourrait se risquer ? L'un d'eux m'a laissé entendre que je cherchais
là un prétexte.

C'est en effet une justification que ma conscience se
trouve après coup. Les replis de cette conscience sont
infinis et l'homme se débat dans une mythologie toujours aussi touffue. L'athéisme n'y a rien fait : chassez
saint Paul par la porte, Freud rentre par la fenêtre. Et
chassez Freud, il reste Eschyle et Sophocle.

*

A peine eus-je prouvé au dernier point ma dureté à
l'égard de Jeanne en la faisant partir seule, que le fan-
tôme de la tendresse me visita et que je courus la
rejoindre à Paris.

Elle n'était pas descendue chez moi, mais chez elle.
Mon arrivée la soulagea, car elle venait de me télégra-
phier que les choses s'arrangeaient mal. L'amie qui
l'avait si bien renseignée sur cette sorte d'affaire et qui
devait lui indiquer une faiseuse d'anges n'était pas là.
J'eus aussitôt une idée : un jeune médecin que j'avais
connu dans un milieu fort anarchique. Je lui téléphonai,
j'allai le voir dans le lointain quartier où il s'accom-
modait d'une clientèle à bon marché. Je comptais sur la
sympathie qu'il m'avait toujours témoignée, seulement
d'ailleurs par des sourires et des inflexions de voix. Il
me dit non, de la façon la plus tranquillement et la plus
gentiment incisive. Je tombai des nues, je le croyais
« sans préjugés ». Il avait du moins de la prudence. Je
n'insistai pas une minute, répugnant à obtenir par la
séduction ce qu'il ne m'offrait pas aussitôt. Je le quittai

avec le sentiment d'avoir blessé un homme et de m'être blessé à lui. Mais pourquoi diable aussi faisait-il profession d'anarchie ?

Je songeai à un autre médecin qui fréquentait *L'Art au XX⁰ siècle*. Il avait comme violon d'Ingres l'art précolombien et nous avait donné deux articles sur la religion Maya. J'avais écouté parfois avec ennui ses déclarations libertaires et libertines ; maintenant, j'y voyais une promesse précieuse. Il m'écouta avec un sourire narquois et me dit oui. Je sentis qu'il avait aussitôt de la curiosité et de la convoitise pour Jeanne. Quand il l'eut vue, il devint encore plus obligeant.

Il installa Jeanne dans une petite clinique de la banlieue. Je venais chaque jour la voir. Pas une fois je ne pensai que j'aurais pu venir là pour le motif opposé et pour connaître des inquiétudes et des émois tout inverses.

C'était à peine si je prenais à demi conscience de l'atrocité de mon personnage sous le regard de l'infirmière. C'était une complice, mais une complice qui méprisait ses complices. Elle savait que Jeanne et moi nous étions libres, que nous gagnions largement notre vie et la totale gratuité de notre action lui donnait un vertige d'horreur. Les autres clients dont elle avait l'habitude agitaient presque tous un prétexte dont elle s'emparait avec complaisance et qui lui servait autant qu'à eux. Mais avec nous aucune ressource d'hypocrisie. Elle voyait bien que Jeanne me faisait un sacrifice et par une juste solidarité féminine elle m'avait pris en haine. Me voyant entrer avec mon visage impassible, mon insolente absence de commisération et de remords, elle se détournait et sortait. Moi, je me réconfortais en me répétant qu'au moins je n'étais pas hypocrite : chétif réconfort.

Quant au médecin, après quelques jours il était non plus narquois mais sardonique et ne se gênait pas pour pencher devant moi sur Jeanne d'énormes lunettes tout étincelantes de lubricité. Jeanne me dit que, seul avec elle, bien que correct, son contact était intolérable. Mais rien à lui reprocher, pas un geste ni un mot de trop. Nous sentions qu'il se représentait sans cesse les plaisirs qui avaient amené ce résultat ; son regard glissait d'elle à moi et de moi à elle dans une connivence sournoisement orgiaque.

Il fit si bien que Jeanne se sentit définitivement blessée et humiliée. Je vis enfin un douloureux reproche se composer dans son regard quand j'entrais. Il n'y avait pas un homme auprès d'elle pour la défendre. Elle était comme une fille publique qui n'aurait même pas eu d'amant de cœur. Elle se rappelait avec horreur qu'elle avait eu d'autres amants avant moi et prévoyait maintenant qu'elle en aurait après. Rien ne s'était noué entre nous et maintenant tout se dénouait, dans une inexorable promptitude.

Je restais assis auprès de son lit et nous pensions en silence que tout était fini entre nous et que sans doute rien n'avait jamais commencé. Vaines avaient été nos caresses, vaines nos sincérités et nos intimités. Nous avions été les meilleurs amants, les meilleurs amis du monde et cela n'avait rien été. Le sacrement est irremplaçable, ou la grâce de l'amour vrai qui touche deux êtres et qui vaut le sacrement et qui appelle le sacrement.

Nous sentions le vide atroce de nos jours. Maintenant Jeanne voyait qu'elle avait été ma complice, elle apercevait la lâcheté de sa soumission envers moi.

— Mais enfin, c'est étrange, murmura-t-elle, pendant quelques semaines j'ai voulu cet enfant, je l'ai voulu contre vous. Et il a suffi que vous me regardiez d'une certaine façon...

Elle reconnaissait enfin cette horrible froideur qui arrêtait en moi toute source de sentiment. Elle voyait qu'en ce moment je ne ressentais que de l'ennui. Dehors je courais avec des filles et je retrouvais sans entraves cette liberté, cette maniaque préférence pour un possible incessant et indéfini qui me faisait préférer l'absence à tout. Il faut dire pourtant que ces jours-là mes livres restaient fermés entre mes doigts et que je ressentais une grande sécheresse d'esprit.

Paradoxe : je ne ressentais pas une grande sécheresse de cœur. Je pensais avec une sorte d'effusion que Jeanne, libérée de moi, allait retrouver une normale et saine carrière de femme et qu'elle se marierait et qu'avec un autre elle aurait un enfant, des enfants. Je ne pensais pas l'avoir blessée à mort.

. . . .

Du temps a passé depuis que j'ai touché à ce cahier. J'ai aimé deux femmes dans ma vie, mais je n'ai pas aimé Jeanne.

Et pourtant aujourd'hui encore, je me sens profondément attaché à elle. Par quel lien ? Je suis étonné par la persistance des liens dans ma vie sans liens. On ne vit pas impunément parmi les humains. Je reste lié à mes amis qui sont tous devenus mes ennemis. Je les connais mieux, je les aime mieux depuis que je ne les sens plus que par les coups donnés et reçus. Je suis lié à Jeanne sans doute par les coups que je lui ai donnés dans cette étrange et réelle camaraderie qui fut la triste gloire de notre temps. Sans doute y mîmes-nous tout le meilleur de notre cœur trop prévenu. Mais il ne s'agissait, pour moi du moins, d'aucun romantisme du cœur. Des générations l'avaient épuisé.

★

Je suis étonné par ce que j'ai écrit, hier soir. Voilà que je dis : nous, que je compose des phrases. Songerais-je à publier ? Que le diable emporte la littérature. Il s'agit ici de bien autre chose. Du temps a passé. Les événements sont venus, ils continuent de venir et de passer sur nous par vagues. Je crois vraiment que la littérature est morte. Cette paix qui semble régner de nouveau ici est aussi trompeuse que celle d'il y a deux ou trois ans. Et il ne s'agit pas seulement de la guerre. Au-delà de la guerre, pour beaucoup d'hommes, il y a ce besoin de réalité, ce besoin de ne plus penser que ce qui est vécu. La littérature a été une réalité et magnifique, maintenant c'est un tardif rabâchage. On reproche aux grands conquérants qui sont en marche à travers le monde les uns contre les autres de détruire ou de rendre impossible l'art, la littérature ; mais ils n'ont dérangé que des débris. Les grands conquérants sont de grands conquis. Ils sont emportés par ce besoin d'action qui maintenant dévore les hommes. Et ce besoin d'action empêtré dans la politique n'est qu'un premier degré. Le second degré plus complet sera donc religieux.

Jeanne était venue trop tard dans ma vie, à cause de l'âge et parce que fatalement je m'en allais vers le divin. Ce qui pendant des années ne m'a semblé qu'une curiosité, une manie, m'entraîne de plus en plus loin. Je ne sais certes jusqu'où j'irai, car les moyens de mon cœur sont courts, mais peut-être que dans mon intelligence il y a plus d'amour qu'il ne paraît. Et il y a la grâce, ce génie du pauvre.

Mon détachement de la femme, de l'amour sexuel, du monde usaient encore contre Jeanne des armes du vieil homme, des armes de mon vieil égoïsme. J'étais d'autant plus dur avec Jeanne que je sentais confusément que dans mon horreur d'elle et de son fruit parlait encore cet égoïsme.

Pour ceux qui ont la foi, qui ont la grâce, qui sont engagés dans les chemins de l'ascèse et de la mystique, il faut beaucoup d'amour pour justifier leur apparente dérobade à l'amour humain. Il faut beaucoup d'amour divin pour excuser le refus de l'amour humain.

Mais aussi, qu'est-ce que l'amour divin qui ne peut vivre qu'emmêlé à l'amour humain ? Il y a un moment où, au regard d'une certaine exigence, le dévouement d'une petite sœur des pauvres paraît une irrémédiable sensualité.

Mais, me retournant de l'autre côté, je considère avec effroi l'aristocratie effarante de ces hautains explorateurs qui s'enfoncent dans le dédale de la méditation, en route vers l'extase et qui renoncent à tout service humain, semble-t-il. Certes, je suis tenté d'aller au-delà du christianisme vers les formes aryennes asiatiques, les plus audacieuses et les plus fières d'ausculter les mystères, mais mon cœur reste européen et l'appel d'un certain amour où le divin se mêle dans l'humain me poigne encore. Il y a dans les épîtres de saint Paul, du moins telles que les savants nous les font entrevoir à travers les énigmes de l'interprétation, un accent qui me fait tressaillir.

Réflexe d'éducation sans doute, car mon intelligence me mène vers une dilection plus épurée. Le centre de ma vie, c'est le vertige de ma solitude. J'en ai senti l'étreinte féroce et inéluctable quand je laissai Jeanne quitter l'île.

*

Je me rappelle que j'ai parlé de Köln dans le journal. Finissons-en avec lui.

Un soir, je suis chez Frédéric. Il m'annonce que Köln va venir. Je m'étonne puis je comprends que Frédéric est curieux de connaître l'homme dont, croyant en parler rarement, je lui ai beaucoup parlé. Avec sa malignité exquise, il a deviné sous ma banale situation d'employé le drame de ma faiblesse. Il veut en goûter la manifestation. Je suis pris d'un trouble furieux.

— Bon, je m'en vais, lui dis-je.

— Comment, tu t'en vas ?

— Oui. Je ne verrai jamais cet homme que dans son bureau. C'est bien assez, c'est déjà plus que je ne puis supporter. Ailleurs, non ; je suis libre de mes heures de loisir.

— Mais tu ne peux pas t'en aller ; il sait que tu es là.

— Tant pis, mais je ne veux pas me trouver dans cette pièce avec lui.

— Alors, sauve-toi vite.

Je m'attarde dans l'antichambre, à la grande inquiétude de Frédéric qui, me voyant indubitablement tendu, craint un incident. Il a horreur des incidents, du moins de ceux qui sont provoqués par les autres, car son esprit caustique en provoque plus souvent que ne le souhaiterait sa prudence.

Ce qui devait arriver, ce que j'ai sans doute voulu, arrive : je rencontre Köln à la porte de l'ascenseur.

— Comment, vous partez ?

— Oui, j'ai affaire ailleurs.

A ma figure contractée, à ma voix sourde, il est obligé de deviner que je le fuis. Il me prend la main que je ne lui ai pas tendue avec une prestesse à laquelle je ne résiste pas.

— Vous me battez froid.

— Non, je bats en retraite.

Sans le regarder, je m'en vais.

Le lendemain matin, Köln m'appelle dans son bureau. Il me dit bonjour et il me tend la main. Je la lui accorde derechef, avec quelle figure ! Il s'en empare avec une rapacité plus prompte que la fois précédente.

— Ah ! vous me donnez la main, vous me la donnez.

— J'ai tort, certes. Ce sera donc la dernière fois.

— Vous me donnez la main. Mais chez votre ami Frédéric vous vous vantez de ne me fréquenter qu'à cause des sous que vous gagnez chez moi.

Horrible Frédéric, bienfaisant Frédéric.

— J'en gagne si peu, et je crois que je ne vais plus les gagner longtemps.

— Comme vous voudrez.

Me voilà sorti. Mon idée du divin me fait une belle jambe, sur le moment. D'ailleurs, je laisse de côté cette jambe de bois et je rentre.

— Vous êtes ignoble de m'avoir tendu la main, de m'avoir pris la main. C'était un piège ignoble...

Je m'interromps, pas du tout convaincu : depuis le premier jour, j'ai eu l'irrémédiable tort de lui donner la main : il l'a toujours su. De là ma profonde humiliation de toujours.

Décidément, pour le moment je ne suis plus du tout de l'ordre sacerdotal, je ne puis me rétablir que dans l'ordre guerrier.

— Foutez-moi la paix, bafouille-t-il, très horripilé et très inquiété par le ton que prend mon indignation.

— Comment ? Foutez-moi la paix, que vous dites ?

Et me voilà lui donnant des coups de poing à travers la table, sa table directoriale. Il se recule, la table me gêne et mes coups de poing s'achèvent dans le vide.

Une dactylo pousse des petits cris. Je commence à faire le tour de la table, lui commence à le faire aussi. Mais je me décourage et je sors.

Ces trois coups de poing me firent beaucoup de bien. Après cela, toute cette misérable psychopathie de ma mauvaise conscience fut liquidée : des coups de poing à la place de poignées de main, voilà ce qui dépend bien les questions pendantes.

Ce geste sur Köln m'avait remis au pouvoir d'anciennes séquences de réflexes qui m'avaient tenu précédemment. J'ai eu un dernier retour dans l'ordre guerrier, pour quelques moments : j'ai pris part au début de la grande guerre civile qui étreint toute la planète. Ma liaison avec une ligue secrète fut ma dernière liaison avec les hommes.

★

J'ai revu Jeanne pendant la guerre, à l'un de mes passages à Paris. Ces passages étaient rares, j'étais retiré à la campagne. Pourquoi lui avais-je téléphoné ? Sans doute pensais-je que la guerre nécessitait ces commémorations.

Après sa sortie de la maison de santé, elle était allée se rétablir dans le Midi. Et là-dessus il y avait eu ma rupture avec Köln, j'avais quitté *L'Art au XXe siècle*.

Mes rapports avec Jeanne et mes rapports avec Köln, cela se tenait. Je ne l'avais plus jamais revue.

J'arrivai dans un petit appartement très soigné. Je n'évitai pas la remarque que le goût ne s'y montrait pas exquis comme dans celui que nous avions partagé pendant quelques mois, mais cette remarque ne remua guère mon amour-propre, définitivement épuisé depuis quelque temps.

Je savais que Jeanne était mariée depuis deux ans.

— Votre mari est au front ?

— Oui.

Toute sa personne exprimait une gêne douloureuse, une répugnance. Cela était plus que compréhensible. Pourquoi venais-je la voir ? Par curiosité, mais par une curiosité où entrait un intérêt anxieux.

Etait-elle heureuse ? Je m'appuyais à l'espoir qu'elle fût heureuse. Dans ce bonheur, je cherchais un soulagement à mon lointain et intermittent remords.

Elle était toujours très jolie. Toujours ce corps si droit et si parfaitement serré dans son vêtement de muscles. La menace d'une maigreur un peu émaciée la menaçait de plus près. Il y avait sur son visage cette maturité de sentiments qui me fera toujours préférer une femme faite, même pas très jolie (ce qui n'était nullement le cas de Jeanne) à la plus belle jeune fille du monde sur qui règne la stupidité de l'inexpérience.

— Il ne faut pas me demander pourquoi je suis venu vous voir, Jeanne. Il y a une question que j'aurais voulu vous poser en un autre temps, qui n'est pas de saison.

— Si je suis heureuse ? Si je vous ai oublié ? Vous m'avez fait trop de mal pour que je puisse vous oublier. J'ai été très heureuse, ces deux dernières années. Je suis très malheureuse maintenant.

Encore chez moi ce vain souci de ne pas paraître hypocrite : au lieu de baisser la tête, je la regardai dans les yeux.

— Je ne suis pas malheureuse seulement parce que Jacques est au front, dans le génie. Il a été très exposé en septembre et en octobre.

Je continuai de la regarder fixement. Et cette insistance soulevait lentement en elle l'indignation.

— Je suis très malheureuse pour une autre raison qui tient à vous.

Mon amour-propre était épuisé, mais l'instant d'après, ma vanité ne l'était pas. Voilà qu'en effet frémissait en moi une satisfaction d'apprendre que je jouais encore un rôle dans sa vie. L'inquiétude n'était pas absente non plus.

— Dites-moi, Jeanne.

— Depuis que la guerre menaçait, je désirais tant avoir un enfant.

Cette fois, je baissai les yeux. Je devinai. Horreur !

— Vous ne pouvez plus en avoir ?

— Non, après notre petite expérience, il y a quatre ans, je n'avais plus qu'un ovaire. Vous rappelez-vous ?

— Oui.

— Eh bien ! finalement l'autre est perdu aussi. Je n'aurai plus jamais d'enfant. Je ne pourrai jamais donner d'enfant à l'homme que j'aime. Et s'il est tué, son nom mourra avec lui. Voilà ce qu'il pense au front.

La duchesse
de Friedland

Cornélia de Chanfrein était la fille d'un homme qui n'aimait pas les femmes. On ne disait pas grand-chose sur sa mère, si ce n'est qu'elle n'avait pas souffert de ce dégoût : bien que jouissant d'une pleine santé, elle ne vivait que pour la vanité. Or, madame de Chanfrein pouvait être fière de son mari qui, sorti on ne savait trop d'où, avait acquis une grande réputation d'homme intelligent parmi les gens du monde. De plus, ils lui étaient reconnaissants d'avoir fait toute son étude de pénétrer parmi eux. Ce qui avait tout arrangé, c'est qu'il était fort joli garçon. Enfin, les femmes ne songent pas à en vouloir aux hommes qui n'aiment pas leur sexe. Ceux-ci ont dans l'esprit quelque chose qui rassure et flatte leur frivolité.

La mère de Cornélia, d'une famille de marchands de biens, qui inexplicablement n'étaient pas juifs, portait une grosse fortune.

Cornélia fut élevée au sein de la plus grande certitude : elle serait duchesse. Son père, qui s'était fait un nom, en prenant soin seulement de le faire inscrire dans les annuaires — d'abord Frenel, il était devenu Frenel de Chanfrein, puis de Chanfrein, — l'avait décidé. Son propre succès ne pouvait lui laisser aucun doute sur celui de sa fille.

Il en fut ainsi : mais elle fut duchesse par la grâce de Napoléon, et non par celle des Bourbons. Elle épousa Louis Corbin, duc de Friedland. Elle était charmante ; si elle n'avait pas eu tant d'argent et tant de succès, elle' aurait pu être très jolie. Toutefois la ponctualité de sa carrière lui faisait un visage trop lisible, même pour tous les analphabètes du cœur au milieu desquels elle vivait.

Louis était gros, mais cultivé. On avait enseigné à ce jeune aristocrate que le comble de la distinction serait pour lui de ne pas se faire remarquer. Il suivait la leçon à la lettre. Et, par exemple, ayant le même goût que son beau-père, il avait toujours mis à le cacher un soin digne d'une époque moins généralement adonnée à la bougrerie. Pour être sûr que personne ne le sût jamais, et d'abord pas sa femme, il se l'était caché à lui-même.

Cela lui avait été d'autant plus facile qu'il n'avait aucun tempérament, ou le peu qu'il en avait était empêché par l'inconvénient rendu célèbre par Louis XVI. Au cours du voyage de noces, lui qui était un fort chartiste dut avouer à sa femme son peu d'érudition en cette matière. Elle en fut obscurément déconfite. Par la suite, la science amenda un peu la nature. Et il lui donna deux enfants, sinon du plaisir.

Cornélia avait plus de vivacité que sa mère, mais elle avait été élevée dans la plus grande réserve, inclinée comme la plupart des femmes à perdre sa jeunesse. Elle était touchée par la bonhomie et la simplicité de Louis ; elle révérait aussi sa science encore plus que son titre. Ils pouvaient être longtemps des complices inconscients, délicats, et assurer tout venant de la vraisemblance de leur union.

Ce fut l'esprit qui commença à leur jouer des tours avant la chair.

D'être duchesse et d'avoir des enfants occupa d'abord Cornélia quelque peu. Ensuite, elle tenait de son père le goût des lettres et des arts. On pouvait croire que Louis, qui s'occupait exclusivement du règne de son homonyme qu'on a surnommé le Hutin, était marqué par un goût semblable.

Leur maison de Versailles commença à se remplir de peintres, de poètes et de musiciens. Les gens du monde s'en étonnèrent, puis, toujours sensibles à une belle hospitalité, oublièrent leur étonnement.

Or les artistes sont souvent dominés par les intellectuels. Ceux qui venaient à Versailles arrivaient tout hérissés des fureurs philosophiques et politiques dont les avaient affublés certains prêcheurs dans de lointains cafés. Cornélia crut parfois s'en choquer, mais, plus intellectuelle qu'artiste, tout en achetant des tableaux, elle s'habituait peu à peu à la sédition des pensées qui se murmurait d'abord timidement dans ses salons. En fait, elle et son mari la provoquaient, car au fond ils n'étaient vraiment épris que de cela qui les effrayait.

En venant chez elle, les peintres et les musiciens avaient surtout imaginé qu'ils gagneraient de l'argent et qu'ils se distrairaient aussi, mais qu'en tout cas ils laisseraient à la porte leurs ouragans de poche. Or, voilà qu'on leur demandait de les montrer. Cela laissait dans les salons des Friedland une odeur de roussi.

Presque tous les artistes se munissaient en idées au groupe *Révolte* dont le chef était le fameux Caël. Il y avait en celui-là un cuistre parfaitement abstrait et un poète très mièvre. Il était arrivé à chiffonner les mièvreries sur l'abstraction, et le busc de l'abstration soutenait les mièvreries. Tout cela suffisait pour les gobemouches qui pensaient bien avaler la pure horreur de l'apocalypse. Car, le coup de maître de Caël, et ce qui lui donnait des airs flegmatiquement terribles, c'était de considérer comme fait acquis la destruction de la famille et de la patrie dans l'ordre des préoccupations subalternes, et de la logique dans l'ordre de la pensée.

Il était l'auteur d'une *Mythologie athée* où l'on retrouvait sous des oripeaux bigarrés qui prétendaient manifester la pure originalité de notre époque, la folie de ces sectes qui dans l'antiquité finissante embrouillaient toutes les religions et toutes les philosophies. Il annonçait l'accomplissement des temps : avec la police sombreraient ces bonnes règles de la circulation qu'on appelle la syntaxe et le principe d'identité. Après cela régnerait une prodigieuse liberté où, nouveau Dyonisis, chaque individu ne serait désormais prisonnier que de ses plus intimes Bacchantes et s'en irait divaguant par les chemins.

Par une cocasse contradiction, entre autres, il prétendait se rattacher au marxisme, semblait ignorer que les marxistes ont le goût de la police et que si dans les villes russes où est établi leur régime il n'y a pas de voitures, ils n'y ont pas moins placé aux carrefours des agents munis de fort gros bâtons.

Il vint en personne chez les Friedland. Pour leur faire honneur et non pas pour expliquer tout cela qui allait de soi et était plus qu'à demi assimilé par Cornélia et par Louis. L'un et l'autre avaient été élevés par des nurses, puis par des précepteurs sortis de l'Ecole Normale. Ces truchements de deux vénérables cultures n'avaient pu leur communiquer qu'une routine sans force. Après cela, ils avaient beaucoup lu et un crépuscule confus leur avait tenu lieu d'aurore.

Tout cela s'avançait dans les mois, les années, et tranquillement. Il y avait de charmantes fêtes à Versailles où le faubourg Saint-Germain (comme on disait naguère) et Montparnasse se mêlaient à merveille. Le déhanchement des inversions et l'odeur sournoise de l'opium se faisaient à peine remarquer dans le brouhaha parfaitement mesuré. Nul ne s'étonnera qu'avant de mourir le père de Louis ait pu passer dans les bosquets, et trouver tout cela « étrangement difficile à critiquer » ;

il suffit de songer qu'en France depuis longtemps l'aristocratie s'est rangée aux mœurs douces de la bourgeoisie et que les ouvriers et les paysans en ont fait autant. Donc, rien à craindre.

Rien à craindre, si vraiment la moindre ombre de la grandeur ne passe dans le décor.

Cette ombre, c'est l'ambition. Elle vint aux Friedland qui rêvèrent d'élever une espèce de monument au génie du groupe *Révolte*, qui de toute évidence avait frotté le nom ducal d'une sorte de substance magnétique.

Ils préparèrent une série de spectacles qui devaient occuper plusieurs soirées dans un vieux cirque qu'on allait démolir peu de temps après. Le morceau principal en fut un drame burlesque qui s'appelait « *Les Deux Cortèges* ». L'auteur en était un Andalou, plus communiste que disciple de Caël.

La troupe des acteurs était divisée en deux bandes, l'une d'ouvriers et l'autre de bourgeois, qui apparaissaient successivement ou simultanément au centre de la piste glorifiée par les projecteurs, tandis que l'habituel spectacle de cirque se déroulait par moments sur le pourtour ombré : chevaux, clowns, acrobates.

Du côté des ouvriers, il y avait une histoire d'amour qui devenait une histoire de misère, de fausse-couche et de meurtre ; du côté des bourgeois, il y avait une grande soirée pleine de magnes et d'absurdités qui se terminait en partouse et chienlit. Plus tard, les ouvriers qui portaient en terre un jeune amoureux assassiné rencontraient les fêtards. Mêlée générale : pour se défendre les bourgeois sortaient de leurs manteaux des ostensoirs et des croix dont ils essayaient mais en vain d'assommer leurs sombres adversaires. Tout cela se termina dans la galopade circulaire des chevaux sur lesquels des femmes échevelées agitaient leurs cerceaux.

Sur les banquettes du vieux cirque, Louis et Cornélia avaient réuni tout le charmant monde mêlé dont ils faisaient ordinairement les délices. Ce soir-là, ce monde se démêla. Tandis que se déroulait la pantomime, ponctuée à contre-temps de cris cocasses et de bruits pénibles, où l'Andalou, en hommage au grand Caël, avait soigneusement dosé le pêle-mêle des mièvreries et des brutalités, le faubourg Saint-Germain se butait brusquement. Certes, il n'était point venu dans cette intention, mais tout ce qui jusque-là avait été présenté dans les salons et les jardins de Cornélia en manière d'allusion éparse et fantasque, se trouvait soudain concentré et bien pointé dans son sens décisif. On ne pouvait plus s'y méprendre. Le Faubourg qui n'est plus que bourgeoisie, giflé et menacé de mort en tant que bourgeoisie, produisit donc dans tout le cirque un silence funèbre.

La découverte se fit dans l'esprit des Friedland en même temps que dans celui de leurs invités. Et le bref mais sauvage applaudissement, à la fin, du groupe *Révolte*, qui se compta de gradin en gradin, bien qu'égayé parmi les marquises et les grandes bourgeoises, ne fit que souligner la révélation. Cornélia et Louis s'aperçurent qu'ils étaient des révolutionnaires, à peu près comme Monsieur Jourdain qu'il était prosateur.

Il y eut de toute part de la stupéfaction, car les gens de *Révolte* n'étaient pas moins pantois et regardaient leurs deux victimes avec honte. Personne, dans cette génération aigre-douce, n'oubliera cette lente fuite de toute la foule des plastrons et des perles vers les vomitoires, tandis que le couple naïf demeurait solitaire. Vers les cintres, les pantalons de flanelle s'en allaient aussi.

Le Faubourg, qui battant en retraite depuis deux siècles avait fourni de si faibles contre-attaques, ne put résister à cette tentation de coin de bois. Il fit des Friedland les boucs émissaires de toutes ses fausses résistances et de tous ses abandons. Le duc qui était le descendant d'un des plus nobles maréchaux de France et apparenté aux plus vieilles maisons de l'Ancien

Régime (sa mère était une Archambaud et sa grand-
mère une Guernut-Bayard) fut traité comme jamais ne
l'avait été un comte du Pape, et les Juives du Gotha, sentant la poussée de masse, ne furent pas les dernières à
blâmer la duchesse. La vieille garde du Faubourg
déclara soudain qu'après tout on ne pouvait rien
attendre d'autre de Jacobins comme ces Friedland qui
avaient enfilé des couronnes sur un bâton de maréchal.
Il y eut un tel bruit que l'historien peut y voir un des
signes avant-coureurs du 6 février et du changement
de rois en Angleterre.

La vague de réaction contre la dictature qu'exerçaient
depuis quelque temps les Friedland sur le monde se
forma, gonfla et déferla en quelques heures. Dès le lendemain matin, les petits groupes qui dans les soupers
d'après le spectacle étaient encore restés presque sans
voix, prirent langue au téléphone. Des meetings chu-
choteurs assemblèrent bon nombre de mécontents dans
les clubs ou les cercles et chez quelques douairières. Les
meneurs se trouvèrent parmi les plus riches et parmi les
plus pauvres ; les premiers avaient vu leurs salons décou-
ronnés par celui de Cornélia, les autres avaient souffert
de se trouver chez elle toujours au bas bout de la table
avec tant de roturiers, certes passablement polis mais
pourtant désobligeants.

On résolut de frapper un grand coup ; mais lequel ?
Tout ce monde avait perdu depuis longtemps l'habitude
des coups, à donner ou à recevoir. Le duel est tombé en
désuétude ; cependant, Louis s'était bien conduit pendant la guerre et il eût été chevaleresque de lui donner
occasion de se réhabiliter sur le terrain de la valeur tra-
ditionnelle ; c'eût été une vengeance généreuse, et qui
aurait noblement rayonné sur tout le monde. Mais le
Faubourg avait été entièrement gagné par les mœurs
démocratiques ; il agit comme un vulgaire syndicat, par
un vote. Sous une grêle de boules noires, le duc fut

obligé de donner sa démission du Salon des Amateurs de Peinture dont il présidait le comité.

Il faut dire que l'ostracisme n'alla pas plus loin et que, hors le vote secret, personne ne se fâcha avec Louis et Cornélia qui en disparaissant mirent une grâce appréciée de tout le monde à tirer tout le monde d'embarras. A l'instant même de l'aventure, ils étaient tombés dans une consternation extrême. Pas une seconde ils n'avaient songé à la révolte ; d'un seul coup, ils s'étaient réincorporés à leurs bourreaux et dans leur intimité s'étaient condamnés aussi sévèrement que ceux-ci les condamnaient dans les thés, les cocktails, les dîners.

Leurs amis de Montparnasse, admirant et regrettant à la fois de les avoir jetés dans le scandale, leur écrivirent des lettres de condoléance et se rassemblèrent entre eux pour lamenter la situation. Dans la cellule communiste des artistes et assimilés, il y eut ainsi, un soir, une pathétique minute de silence, qui d'ailleurs ne fut pas appréciée à Moscou. Le Kremlin n'avait pas encore conçu le Front des Français et prononça l'exclusion d'un grand couturier et de quelques autres prosélytes. Dans les couvents remplis de gitons juifs convertis, on dit des messes pour le repos de l'âme des Chanfrein et les opiomanes dans leurs tenues secrètes croyaient presque en perdre le goût de la confiture.

Ce n'était pas en vain que Caël avait prédit des événements « bouleversants » ; ceux-ci pour les Friedland n'avaient fait que commencer. Ils avaient fui et sur leur yacht cinglèrent vers Bali. Les tropiques apportèrent beaucoup de détente aux persécutés, une détente même si souveraine qu'ils n'auraient pu l'imaginer au départ. Ils avaient emmené fort peu d'amis ; deux ménages de leur parenté, assez zélés pour partager une mauvaise fortune qui consistait dans un tour du monde, et un célibataire. Celui-ci était un jeune Russe de bonne extraction, qui avait été chauffeur de taxi, puis joueur de balalaïka et était récemment entré dans une maison de couture. On ne pouvait guère trouver plus beau visage et corps mieux fait. Il s'appelait Fedor.

On arriva à Bali où l'on séjourna quelque temps. Là, le désordre se mit dans la petite caravane. Les deux ménages amis s'embrouillèrent avec des ménages anglais de passage. L'adultère et la débauche montrèrent leur visage en sueur. Chacun s'égayait dans l'île : Louis et Fedor toujours partis, Cornélia qui ressentait plus fortes sous les tropiques des langueurs anciennes, se livra à l'archéologie avec un savant danois qui, fort touché par sa solitude, s'essaya bien maladroitement à lui faire la cour. Mais il n'était ni jeune, ni plaisant, ni inspiré.

Un jour, Cornélia entra dans une pièce peu fréquentée du bungalow et trouva Louis aux pieds de Fedor.

Ce fut une révélation aussi bouleversante que celle du cirque, pour l'un comme pour l'autre. Car Louis ne se connut vraiment et ne s'avoua que dans les yeux agrandis de sa femme. Jusque-là il avait été seul à soupçonner ses écarts et il avait pu les oublier ; maintenant il ne le pourrait plus. Il était sensible et éprouva vivement le chagrin qu'il avait mis tant de soins à éviter pour elle comme pour lui.

Quant à Cornélia, elle découvrit l'ironie avec l'amertume ; elle vit que son existence avait été une immense fumisterie. Fille d'un fumiste, on l'avait mariée à un fumiste.

Avec un peu plus d'ironie encore, elle aurait pu remarquer que le décor où elle avait vécu livrait brusquement la signification des chétives brutalités qui l'avaient enchantée comme une petite fille. Elle n'alla pas jusque-là, mais elle tomba pendant le retour dans une rêverie sans fond. Il n'y eut point la moindre violence entre les époux : ils entrèrent sans explications, d'une minute à l'autre, dans la façon de vivre qui était celle de leurs amis.

Quelques années après ces menus événements, un couple français se trouvait au mois de juillet à Barcelone. Des artistes, jeunes, lui surtout, et aisés. Avec ce léger débraillé qui est un raffinement et un confort de plus, et qu'envient les bourgeois sans oser l'imiter. Ils étaient descendus au Colon.

Ils se promenaient comme tout le monde dans les musées, les églises, le quartier des bordels ; ah vraiment, ils n'étaient indifférents à rien. Tout du reste leur offrait une superficie, des dehors obligeants. Les morts et les vivants se laissaient regarder avec une égale complaisance, les saints, les marlous et les gitons.

Etaient-ils plus occupés d'eux-mêmes que des autres ? Certes, ils se souriaient et se frôlaient, et se suivaient l'un l'autre. Mais, somme toute, ils se souciaient plus des choses que des autres et d'eux-mêmes. Ils interrogeaient les statues dans les églises et les musées avec un soin étrange et égaré. Que demandaient-ils aux images ? Le secret de la vie passée dont elles étaient l'allusion ? Mais qu'est-ce que la vie ? Ce n'est pas un secret qu'on surprend. Ils s'arrêtaient, avec un air de perplexité, puis repartaient l'air sûr.

« Je suis très content, il n'y a plus de doute pour moi que ce retable est du XIIIᵉ... »

Un jour, ils furent réveillés par des coups de feu. Ils se levèrent de leur lit d'amour, avec des exclamations amusées.

Deux heures après, c'étaient deux âmes entièrement dépiautées par la peur comme des lapins par la cuisinière, et vidées. Tout leur intérieur avait été empoigné, retourné et mis à l'air.

Ils se trouvaient au milieu d'une révolution. Pour eux qui cherchaient des choses, c'en était une. Pour eux qui cherchaient des objets, l'air en était plein.

Ils en avaient tant parlé, de la révolution, dans les

cocktails et dans les petits dîners intimes, au bistrot. Elle était là, dans la rue.

Ils étaient « bouleversés » pour le coup. Ils ne s'étaient pas lavés, ils s'étaient habillés, ils n'avaient pas mangé, ils n'avaient plus de cigarettes, ils n'avaient plus de corps. Ils étaient deux petites décharges nerveuses et inépuisables, quelque part derrière des murs.

La révolution qui était dans les rues, entra dans les maisons.

Ils touchèrent la révolution, ou plutôt elle les toucha. La révolution en chair et en os leur faisait une peur infinie ; ils n'étaient que peur devant elle. Ils tremblèrent des heures et des heures, jamais ils ne pouvaient épuiser leur tremblement.

Les hommes de la révolution, qui s'étaient battus devant l'hôtel pendant des heures, entrèrent. Ils les regardèrent avec des yeux terribles, leur soufflèrent au visage, les saisirent, les fouillèrent, les interrogèrent, les lâchèrent. D'autres vinrent et recommencèrent.

Mais maintenant, nos touristes ne tremblaient plus. Ils avaient été touchés par ces terribles mains, ils se détendaient à demi. L'extrême tourmente physique faisait place à une lente et insidieuse décrépitude morale.

Arrêtés ? Ou pas arrêtés ?

Quand les premiers miliciens les avaient touchés, saisis, surpris dans leur inexistence, une vague pensée leur avait traversé l'esprit : « Mais nous sommes avec eux. » Dans les cocktails, ils parlaient de la Révolution, ils disaient qu'ils étaient pour la Révolution.

Cornélia, car c'était elle, avait même fait mieux : elle avait levé le poing. Elle allait partout où on pouvait lever le poing en 1936. Ah, ce geste avait été la fin de sa revanche. Le commencement en avait été de prendre un amant. Un jour, à Paris, elle s'était aperçue que ce beau Fedor la regardait. Car, depuis qu'ils étaient rentrés en France, les Friedland vivaient comme tout le monde, dans un désordre avoué, dans un nouvel ordre à l'envers ; donc, Fedor était tout le temps dans la maison.

Elle n'en voulait pas à ce Fedor, bien au contraire. Elle l'avait regardé aussi. Peu à peu une complicité s'était formée entre eux à distance. Elle avait deviné qu'il n'aimait pas tant les hommes et qu'il avait cédé à Louis par facilité. Elle avait mis son espoir, sans la moindre gêne, dans cette facilité. Un beau jour, lors des déplacements de l'été, il avait échappé à Louis, l'avait rejointe et était devenu son amant.

Plus tard, Louis s'était incliné avec une amère satisfaction devant son châtiment.

Mais Fedor avait perdu aussitôt après sa signification. Il n'aimait rien ni personne, il ne s'aimait pas lui-même. C'était seulement une flamme pâle et langoureuse qui glissait.

La nouvelle vie de Cornélia ne prit son sens qu'avec son second amant. C'était ce jeune archéologue, qu'elle avait rencontré dans un musée où elle s'était mise à travailler. Ce fils de paysan avait pris possession de son corps. Cela l'avait brusquement disposée à chercher et à trouver des certitudes, ce dont elle s'était passée parfaitement pendant des années.

L'archéologue était de gauche, c'était avec lui qu'elle avait commencé à courir les endroits où l'on lève le poing. Elle ne recevait plus les gens du monde, sauf quelques-uns, qui pouvaient la comprendre pour une raison ou pour une autre ; elle ne recevait plus, elle allait dans les endroits où l'on lève le poing.

L'archéologue levait le poing aussi, mais dans le vague. Ce paysan, faute d'épreuve, pouvait se comporter comme un vaporeux socialiste de droite. Elle, Cornélia, levait le poing avec une conviction précise ; elle levait le poing contre le Faubourg. Elle levait le poing en souvenir de la soirée du cirque.

Mais maintenant, elle était tremblante dans le hall d'un hôtel espagnol, au milieu des miliciens, fous comme des chevaux dans l'incendie. Et elle ne songeait pas à lever le poing.

Du moins, elle ne songea pas à le lever pendant une seconde. Après cela, elle ne le leva pas non plus parce qu'elle mesura que cela leur paraîtrait d'une invraisemblance provocante.

Un peu plus tard, son amant et elle s'enhardirent à expliquer leurs sentiments, leurs exploits de Paris. Les miliciens, tachés de sang, hochaient la tête. Tout cela finalement ne fut pas de conséquence. Le consul de France, fort respectueux du nom de Friedland, les embarqua sur le premier croiseur.

Quand ils furent rentrés en France, ils se regardèrent. L'archéologue s'était aperçu qu'il n'était pas révolutionnaire, il se l'était déjà avoué sur le bateau. Il le lui avoua.

Il pensait qu'elle allait faire de même. Car pendant tout ce voyage de retour, elle avait été écrasée par l'horreur. Elle sembla sur le point de dire comme lui, mais un petit raidissement l'empêcha de parler.

Ils se rendirent à Biarritz où était M. de Chanfrein.

Or ce monsieur avait beaucoup changé depuis deux ou trois ans. Son changement avait coïncidé avec celui de sa fille, elle l'avait remarqué. M. de Chanfrein qui avait fait la guerre dans les automobiles et y avait gagné quelque ruban, avait rejoint les Croix de Feu après le 6 février. Mais, en même temps, quelque chose dans son intime attitude s'était altéré. Ce n'était qu'une imperceptible indication, mais Cornélia l'avait surprise. Lui, qui s'était piqué de suivre la politique au jour le jour, dans les années paisibles (qui n'a pas connu les années d'après-guerre n'a pas connu la douceur de vivre), expédiait maintenant au début des dîners qu'il donnait, le quart d'heure de politique. Il allait avec une appréhension nerveuse, un flair rageur, au-devant des propos bien-pensants. Il les acceptait en vrac et en hâte ; cependant par un trait lancé çà et là, sur une question de détail, il rabrouait soudain l'opinion de ses amis, aussi bien de ceux qui avaient assez peur pour être Croix de Feu, que ceux des autres qui avaient trop peur pour l'être. Ensuite, tandis que cette opinion moyenne recommençait à couler, tiède et toujours égale à elle-même, un rictus tordait discrètement sa jolie figure fanée.

Dans le salon de sa belle villa basque, il écoutait sa fille.

— C'est horrible, horrible, répétait-il avec elle.

Quelque temps après qu'elle eut épuisé son récit, il lui demanda doucement :

— Alors, tu as changé ?

Elle le regarda avec le même faible sourire qu'elle avait regardé son archéologue ; elle eut le même raidissement, mais déjà plus fort. Elle put dire :

— Non.

L'archéologue était là, il intervint, soudain crispé.

— Comment ? vous êtes encore communiste ? Vous n'en aviez pas l'air au Colon.

— Non...

— Alors ?

— Enfin, je ne suis pas de l'autre côté, je n'y serai jamais... Et vous ?

— Moi, si je ne suis pas communiste, et certes je ne le suis pas, je ne vois guère que l'alternative.

— Vous n'allez pas me dire que vous êtes fasciste.

— Heu...

Elle avait un peu pâli et son regard se réfugia dans celui de son père.

Il y avait eu l'affaire du cirque pour la duchesse de Friedland, mais maintenant elle recueillait la fatigue de son père qui toute sa vie avait serré son visage sous un masque.

La fatigue et un peu plus : il soupçonnait qu'il était le fils naturel du célèbre Comte X et d'une Juive.

S'il l'avait dit alors à Cornélia comme il en avait envie, que n'aurait-elle pas imaginé des plus secrètes raisons de la duchesse de Friedland.

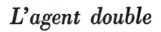

L'agent double

« On ne sait jamais comment rien commence, n'est-ce pas ? Déjà au gymnase... Je remarque que vous êtes pressés.

Donc, à dix-huit ans, des camarades m'entraînèrent un soir dans une réunion clandestine. Là, personne de bien fascinant ; mais il y avait cette soudaine puissance qui jaillit d'un cercle d'hommes ; elle m'a toujours saisi. Quand des hommes regardent tous ensemble un point dans l'espace, voient quelque chose, un émoi irrésistible me prend. Le sang me monte à la tête ; il dissout, il chasse l'indifférence qui m'est naturelle. Je suis conquis à leur joie d'une minute.

L'homme qui parlait dans cette chambre quelconque s'arrêta brusquement. Il était assis sur le lit, entouré par ces hommes qui étaient entrés brusquement en disant : « Nous te tenons. » L'un d'eux avait posé un revolver sur la table de nuit, à côté de la montre. Ils s'étaient tous assis et l'écoutaient froidement. Il reprit presque aussitôt :

Les idées ne me touchent-elles pas ? Si, les idées me touchent. Elles me touchent terriblement. Les idées des hommes, ces dieux magnifiques sortis de leurs veines, ces vapeurs de sang.

Bref, le soir même, je m'approchais de l'homme qui

avait parlé et qui me semblait un chef et, pour lui prouver mon amour — et être aimé de lui — je lui dis :
« Je suis communiste. Comptez sur moi. Demandez-moi
ce que vous voudrez. » Il y avait un telle lascivité dans
mes paroles qu'il me regarda de travers. Qu'il eût de la
pénétration ou non, il soupçonna quelque chose qui lui
échappait dans mon excitation. Il secoua la tête et grom-
mela un mot de mécontentement.

Cependant on me mit à l'épreuve et l'on ne put douter
bientôt de mon courage, de mon dévouement. On me
voyait partout au premier rang. J'étais entré avec une
promptitude extrême dans les idées qu'on me proposait,
et j'allais loin dans leurs conséquences. Je pensais vite,
j'avais le goût de l'enchaînement dans la pensée. De
plus je parlais, et en parlant ma pensée se développait,
s'achevait. On m'écoutait.

Je parlais trop bien, j'allais trop loin. Certains sentaient un vertige à me suivre dans des raisonnements
qui aboutissaient à un absolu, bien proche du néant. Par
exemple, je démontrais la communauté des femmes
comme nécessaire pour étouffer le germe de la propriété.
Je sentis plusieurs fois le regard de celui qui m'avait
soupçonné le premier jour et qui secouait la tête.

Cependant, mon activité ne se ralentissait pas et, un
beau jour, je fus arrêté par l'Okhrana. Je passai quelques mois en prison. J'avais déjà souffert pour la cause ;
mais la souffrance de solitude me ravagea. Ces quelques
mois de prison eurent l'effet que voici : il me sembla
que dans ma vie était tombée pour toujours une goutte
de décrépitude. Quand ensuite je connus les femmes, je
fus presque rattaché à la vie ; mais il y avait toujours un
moment où je les regardais d'un œil lointain, comme à
travers des barreaux.

Au sortir de la prison, j'avais retrouvé mes camarades
et je les avais regardés aussi avec ce regard lointain.
Pourtant, je repris la tâche, comme si de rien n'était.

Un autre changement s'était produit dans mon esprit à la prison : cela concernait les livres. Entre quatorze et dix-huit ans, j'avais aimé tous les livres. Chacun m'illuminait de son rayon. Et je passais d'une opinion à l'autre sans m'arrêter, comme d'une péripétie à une autre dans un seul rêve. Depuis que j'étais communiste, il y avait eu une longue période où je m'étais absorbé dans l'étude de la doctrine. Je ne lisais plus les visionnaires de la politique de droite, ni les sceptiques — sceptiques de la politique en général — ni les mystiques. Mais enfin, en prison, j'y étais revenu. J'avais retrouvé la séduction d'antan, mais, me flatté-je, elle ne me gagnait plus au fond. « C'est leur talent, me disais-je, qui me captive un instant. Ils ne peuvent prévaloir contre le fondement que je me suis trouvé. »

Cependant, un jour, dans une de nos réunions quelqu'un parla avec insistance d'une certaine organisation de tzaristes extrêmes qui prenait de l'influence. L'idée me vint d'en juger par moi-même. J'étais choqué par le fait que tous mes camarades qui exprimaient à ce moment leur haine contre ces furieux de l'autre bord supportaient avec une tranquille aisance d'ignorer complètement leur être.

Je commençai à réfléchir sur le moyen de connaître ces adversaires si lointains et si proches, que sans doute je coudoyais tous les jours dans la rue. Je fis preuve aussitôt d'une habileté surprenante dont je ne pris conscience que plus tard. Ce ne fut pas long pour moi, grâce à des camaraderies nouvelles, de m'introduire dans une réunion des « Cent-Noirs ». Je fus ahuri qu'on m'eût laissé entrer avec la plus grande facilité dans ce conciliabule assez intime ; je ne pensai pas que mes paroles infiniment souples avaient été pour beaucoup dans cette facilité.

Il y avait là un homme qui parla comme un maître écouté. C'était un pope. Visiblement sorti du peuple, il maniait tant bien que mal une culture sordide et mélangée, où l'enseignement du séminaire s'embrouillait de certaines lectures modernes, assez inattendues. Mais il avait une éloquence rocailleuse. Il faisait soudain jaillir le feu. Je sentis aussitôt les étincelles sur ma peau, et tout un monde enseveli tressaillir.

Un moment plus tard, avec effarement, je constatai non plus un émoi lent mais, prompte et universelle, une foudre de révélation. Je regardai autour de moi tous ces visages que je pensais haïr. Ils me paraissaient encore laids, détestables. Et pourtant quelque chose les éclairait, les sacrait.

Je me sentis assez près d'eux pour avoir honte de ma supercherie. Et je m'enfuis aussitôt que possible en témoignant une soudaine froideur qui les inquiéta. J'errai dans les rues, bouleversé. Je sentais tout vaciller en moi. J'eus un pressentiment obscur de ma perte.

Le lendemain, j'étais de nouveau parmi mes camarades communistes.

Je les regardai avec des yeux deux fois plus lointains qu'au sortir de la prison. Mais en même temps avec une curiosité intense comme si je les voyais pour la première fois. Je touchais le bras de l'un, de l'autre, avec étonnement et joie.

On discuta. Je me montrai un critique hargneux, mordant. Toutes les opinions de détail, je les détruisais les unes après les autres. Si bien que des camarades, sentant le terrain se dérober, m'imploraient avec des yeux éperdus. D'autres se mirent en colère, murmurèrent contre mon caractère. A la fin, je vis le mal que je faisais et me tus.

Je parlais moins souvent, j'écoutais. Et le poison se distillait dans mon esprit. Je ne m'en pris plus jamais aux opinions de détail, mais toutes les grandes idées dont j'avais si passionnément goûté la vitalité s'alanguissaient. N'avaient-elles point des sœurs nées de la même terre et qui valaient pour le moins autant qu'elles ?

Je continuai pourtant à travailler avec une régularité acharnée pour le parti. Mes bons services s'accumulaient comme un monceau de chaînes. En même temps, à mes moments perdus, je cédais sans combat à la curiosité charnelle qui m'attirait vers nos ennemis.

Je lisais avec une volupté vorace Dostoïevski, la Bible, Rozanov. J'entrai dans les églises. Je me gorgeai de musiques sacrées, d'ombres, d'encens, d'or sur les dalmatiques. Je me nourrissais de toute cette beauté. Je convoitais, enfin, des femmes qui étaient des bourgeoises ou des nobles, pieuses, féroces.

Je revenais épuisé de sensations et de convoitises vers nos chambres nues, nos pauvres vestons, la chaleur modeste de nos cœurs, l'autorité de nos épures sociales.

L'alternance s'installa en moi.

★

Cela aurait pu durer longtemps.

Mais un jour, dans une église, je rencontrai le pope. Il était jeune, fort, sale. Il y avait en lui une virilité populaire et dans ses yeux une vision. Oh, cette vision, cette vision si simple, si fraîche. Il pouvait voir des choses sacrées, des choses de chair et d'or : un dieu supplicié, un empereur en gloire.

A peine devina-t-il quelque chose dans mon âme que je la lui ouvris. De nouveau, ce sentiment que j'avais eu avec le chef communiste : je voulais aimer, être aimé. J'étais fasciné par ce nouvel amour que je découvrais, qui régnait dans un autre quartier de l'univers. Le péché va partout.

Longtemps, j'écoutais cet homme seul qui me parla dans son petit bureau sordide où il y avait quelques livres, des icônes et une assiette souillée. Il me faisait entrer dans son ardeur, dans son dévouement, dans son fanatisme.

Il en vint à sa haine. Il me parla de mes amis, du mal qu'ils portaient, qu'ils faisaient. Ses yeux s'agrandissaient. De bleus, ils devenaient presque blancs. Comme le ciel vous savez quand on est en avion. Ce n'est plus le ciel qu'on voit de la terre ; c'est le ciel au milieu duquel on est, dont on est. Il blêmissait, il tremblait. Sa bouche et ses mains se rapprochaient de ma bouche et de mes mains. Ses mains s'emparèrent de mes mains.

Il s'arrêta une minute, une pleine minute. Puis il me dit solennellement, de sa voix de basse :

« Le monde peut s'écrouler. Le démon est puissant. Dieu ne peut pas mourir, mais sa création peut mourir dans ses mains. Dieu ne peut pas souffrir. Mais le Christ peut être humilié comme il ne l'a pas encore été. Il faut que nous venions à son secours. Il n'a que nous. C'est à nous de retenir le monde. »

Une magie intense parcourut mes nerfs. Une responsabilité infinie me galvanisa. J'avais compris. Je m'écriai :

— Je ferai ce que vous voudrez.

Et je me jetai à ses pieds. C'est ainsi que je suis devenu un débauché de l'esprit.

★

C'est ainsi que je suis devenu espion.

Le pope avait compris comment il pouvait m'utiliser, dans quel plan subtil il fallait insérer mon service qui ne pouvait être que délicat. Il m'annonça bientôt que je devais aller en Sibérie.

Je fus arrêté par la police, jeté en prison, expédié avec un convoi. Quelques semaines plus tard, je vivais dans la plus intime pensée des grands chefs exilés.

Les trahissant, je pus aimer de nouveau et apprécier les communistes. Je me réaccordai non point avec la pensée, mais avec la vie des communistes, celle de ce temps-là.

Dès lors, je pouvais vivre entièrement dans deux univers. Je passais de l'un à l'autre sans gêne ni bafouillage ; je glissais en une seconde de l'un dans l'autre — la vie des communistes, la pensée des orthodoxes.

J'étais bigame, j'avais deux amours. L'âme peut être entièrement séparée d'avec elle-même. Je servais Dieu et le Démon. Car je servais aussi le Démon. Dès le début, je trahissais autant le pope pour vous que je vous trahissais pour lui. Vous savez très bien que j'ai rendu des services énormes à votre cause, vous, mes ennemis, de cette dernière heure. Mes rapports secrets au comité central ont été aussi féconds que mes mémoires au Saint-Synode.

En fait, à cette époque-là, pour ce qui est de l'immédiat, ils l'ont été plus. Il fallait bien que des deux causes que je servais l'une, pour un temps, fût plus forte que l'autre. C'est donc celle apparemment que j'ai le mieux fécondée.

Mais rien n'est jamais perdu, en vérité, je vous le dis. Rien ne se perd de l'énergie spirituelle, mais rien non plus ne se perd de la forme même d'aucune pensée. J'ai retrouvé chez des Allemands, chez des Américains mot pour mot tout ce que je déclarais dans ces petits cahiers de deux sous que je jetais aux arcanes de l'Orthodoxie.

Avec mon goût et ma puissance d'entrer dans les conséquences des idées, j'ai prédit, j'ai prévenu. J'ai libéralement répandu ma double science. Les réactionnaires en ont profité comme les révolutionnaires. Je ne sais pas ce que sont devenus mes cahiers de deux sous. On me dit qu'ils n'ont pas été perdus et qu'un prince radoteur, chauffeur de taxis, les a colportés dans les deux mondes. Peu importe. Ce qui a été pensé une fois sera pensé encore. Si cela a pu être, cela peut être encore. Tout est éternel.

L'un des ennemis ricana. L'homme sursauta. Il cria d'une voix aiguë :

Ce que vous prenez pour la vanité louche de l'homme de lettres, c'est l'orgueil profond de la Sibylle, artiste des artistes, qui sait bien pourquoi tout ce qui sort d'elle est ambigu. *Aussitôt il reprit avec une tranquillité sarcastique :*

Mais venons-en à ce qui vous intéresse davantage.

★

Pendant la guerre, j'ai été soldat. J'ai été heureux : je servais. Qui ? Le Tzar ? Peut-être. La Sainte Orthodoxie ? Voire. La Russie ? Oui.

Me direz-vous aujourd'hui comme vous m'auriez dit il y a dix ans que « la Russie, cela ne veut rien dire, un pays, ce n'est rien, une glèbe indistincte, ou bien une cause. La Russie, c'est le Tzar *ou* le Communisme ». Mais non, moi je vous réponds avec toute l'expérience de ma vie ; oui, l'expérience de ma vie et de la vôtre. « La Russie, c'est le Tzar *et* le Communisme, c'est bien autre chose encore. » La Russie, c'est moi. Elle et moi, nous dépassons immensément tous les moments, tous les aspects. Vous dites que je suis double, mais non je suis immense...

Ne nous égarons pas. Je vais lentement, comme si j'avais peur. Prenez ce revolver, j'irai peut-être plus vite. Je me demande pourquoi vous m'écoutez. Seriez-vous curieux par hasard ? Ou bien vous reconnaîtriez-vous pour la première fois tout entiers dans ce double miroir que je vous tends ? Russes parce que communistes, mais aussi communistes parce que Russes. Une révolution ce n'est que la chair du peuple qui la fait. Et vous reconnaîtrez avant longtemps que l'orthodoxie, c'est aussi la chair du peuple russe. Le xxᵉ siècle ne finira pas sans voir d'étranges réconciliations.

Donc, en 1918, j'étais à Mourmansk occupé par les Alliés. Agent secret, de nouveau, des Blancs et des Rouges, m'occupant des affaires de tous les Russes. Un jour, j'appris l'arrivée de l'homme que vous êtes venus venger. Il est bien que je meure sur cette histoire, car elle est la plus délicate de toutes celles qui se sont nouées et dénouées entre mes mains, entre mes deux mains, la droite et la gauche.

Pourquoi la plus délicate ? Cet homme qui était tombé entre mes mains, je l'ai aimé, admiré. Encore un. Ah dans ma vie, j'ai aimé, beaucoup aimé. « C'est ce qui vous a perdu », dirait un imbécile. Mais pour les hommes comme moi, la perte et le salut, c'est la même chose.

Ce Français, cet étranger qui parlait si mal le russe et guère mieux l'allemand, j'avais senti dès la première minute tout ce qu'il y avait de précieux en lui. Je m'y connais, je sais ce que c'est qu'un chef. Dans les deux camps, c'est la même race. Je parle de ces camps où l'on peut connaître la race des chefs : communiste ou fasciste. Je ne parle pas de ce monde interlope des démocrates, où règnent les cantatrices à moustaches, toujours prêtes à donner leur démission, à déposer le fardeau.

Lehalleur était un chef. A vingt-cinq ans, c'était décidé. Il avait la concentration, faculté essentielle. Il ramenait tout le problème mondial sur chaque minute de sa vie individuelle. Chaque minute de sa vie comptait. Il savait que seulement par le couloir de sa destinée pouvait passer la foule des possibles. L'Histoire se passe entre quelques personnes. Il y a un seul théâtre, peu de protagonistes ; on ne voit même pas les figurants. C'est aussi pourquoi je suis content d'avoir renoncé à ma dignité.

Lehalleur était pressé de trouver cet embarquement

clandestin pour l'Europe qu'il était venu chercher dans
ce port perdu qui était alors un des défilés du monde,
à l'entrée duquel je veillais, cerbère, avec toutes mes
têtes. Débarqué en France — dans cette France de 1918
dont nous nous exagérions la violence mais qui enfin
ne s'était pas encore endormie — débarqué avec cet
avantage unique alors en Europe pour un homme politique, cette connaissance de la nouvelle Russie, avec
son génie d'éloquence, son besoin du risque immédiat
et épuisant, sa promptitude de tactique, il pouvait
frapper un grand coup. Je crois aux grands hommes,
si vous voulez. Je dis : si vous voulez, parce que Dieu
sait que dans le quotidien, en dehors de leur fonction,
ils ne sont guère évidents. Celui-ci avait des côtés de
vanité, des tics de culture européenne bien méprisables.
Mais il était si jeune. C'était le génie vierge — ignare
sur plus d'un point, mais éblouissant trois fois par jour.

Je passai des heures avec lui. Il me regardait parfois
de travers, par pressentiment plutôt que par méfiance.
Mais depuis longtemps, il était impossible de former
sur moi une pensée décisive. Est-ce qu'on juge la terre
qu'on a sous les pieds ? La sainte terre sans limites
qui nourrit le sang des hommes, des guerriers. Il ne
pouvait pas me craindre plus que toute cette Russie qui
lui était si étrangère, qui pesait si lourdement sur ses
épaules nerveuses et dont il rapportait dans son pays
le message brut.

Nous attendions un certain bateau qui devait l'em-
mener. Ce bateau, je n'avais qu'un mot à dire pour
qu'il fût coulé, dès qu'il aurait pris le large. Je regardai
avec admiration et tendresse ma proie dans mes mains.
Ce génie, cette destinée, toute une pente de l'univers.

Est-ce que j'hésitai ? Je n'ai jamais hésité, ni douté.
J'ai toujours cru à tout. Dieu et le Démon, je les confonds
dans mon cœur.

S'il était dans mes mains, c'était qu'il devait périr.

Mon devoir fut alors de trahir plus souvent ceux qui étaient sous ma main, les rouges avec qui j'ai toujours vécu. Je préfère la pensée blanche, mais je n'ai jamais pu vivre qu'avec les rouges. Je suis un homme avec Karl Marx dans sa poche, et dans le cœur je ne sais quel obscur mot d'ordre russe.

Quand je vis Lehalleur pour la première fois, une puissante commisération étendit mes mains vers lui. Je bénis ma victime. Ainsi donc cette grande destinée comme tant d'autres devait être tranchée dans ses premiers fils. Peu de grands hommes arrivent à leur haut période. J'étais habitué à la prodigalité du sang. Mais je n'ai jamais souffert dans mon cœur personnel comme devant le cas Lehalleur. Sur cette planète de massacres et d'incendies, de guet-apens sordides et de ratages à un cheveu près, j'ai eu mon heure d'agonie la plus atroce. Sur le jardin des Oliviers, ils étaient deux à suer, Jésus et Judas.

J'ai fait des prodiges pour masquer l'avenir et remplacer dans le cœur de ce jeune supplicié tous les zélateurs qu'il allait manquer. Quand le bateau signalé par moi aux avisos blancs s'éloigna du quai, mieux qu'une foule je lui donnai en un regard et un cri le sentiment qu'il était consacré par l'attente du monde.

*

L'homme s'arrêta de parler et défia de son regard ardent tous ceux qui étaient autour de lui et dont l'attention froide avait peu à peu fait place à une sorte de torpeur.

Il reprit doucement :

Eh bien, je crois que j'ai assez parlé. Je croyais mourir sans jamais parler à personne. Le bourreau est après tout le meilleur confesseur.

Tuez-moi, je suis votre plus grand ennemi. Je ne

suis pas votre ennemi de classe, comme pourraient dire
ceux d'entre vous qui sont des imbéciles ou des hypo-
crites, ou votre ennemi de parti. Je suis l'ennemi de
votre fonction, de la politique. Je me meus dans un ordre
de problèmes qui n'est pas le vôtre, dans un labyrinthe
où vous n'avez jamais mis les pieds. Je suis avec les
femmes, les enfants, les vieillards, les animaux, les
plantes contre vos spécifications. Je ne suis pas dans la
société, je suis dans la nature. Je suis l'instrument des
saisons. Et voici venir la saison qui me justifie, où se
réconcilient la Sainte Patrie et le Communisme. Je puis
mourir. Maintenant que vous me ressemblez tout à fait,
vous pouvez me tuer.

Pourtant, j'ai bien aimé ce que j'ai rêvé par toute
mon action : j'ai aimé les idées, toutes les idées des
hommes. J'ai caressé avec la main étonnée et reconnais-
sante d'un père le mythe du prolétariat et celui du Tzar.
Déchiré par mes frères, je n'ai été étranger à aucun.

Peut-être aurais-je dû être pope et chaque matin offrir
le pain et le vin où un dieu meurt et renaît.

Enfin, tuez-moi. Je suis éternel. »

Il se tut.

*

*Les hommes dans la chambre s'ébrouèrent. Celui qui
était leur chef se leva et prit le revolver qu'il porta vers
le ventre de ce terrible brouillon :*

« *Tu es un chien.* »

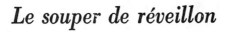

Le souper de réveillon

Tous les deux ou trois ans, je retrouve un camarade d'enfance dans un bar où ne fréquentent que des hommes comme lui, des « hommes d'affaires » et leurs « poules ». Je m'émerveille toujours de voir reparaître, à la faveur des souvenirs, quelque chose d'espiègle chez ce garçon. Mon attendrissement était près de finir et je n'allais plus savoir que dire, quand trois ou quatre personnes s'assirent assez bruyamment à la table voisine de la nôtre.

Mon camarade les connaissait et se trouva même aussitôt avoir à traiter d'une petite combinaison avec l'un des hommes. Il ne me restait qu'à regarder la femme qui était avec ces hommes, silencieuse. Je retombe souvent ainsi sur les femmes. D'abord, je ne la vis que de profil. Un profil fin à la bouche ouverte. C'était une très jeune secrétaire modestement vêtue, à qui son patron avait voulu faire plaisir en l'amenant dans un endroit qu'il croyait brillant. Mais soudain tout changea : elle s'était tournée de mon côté. Je vis ses yeux. Il y avait de quoi se noyer.

On a souvent remarqué que je ne suis guère sensible à la couleur des yeux. En tout cas, ce jour-là, l'eau et le ciel mêlés m'ont accueilli.

Je me demandai si je n'étais pas ivre. Comment moi, et au milieu d'un bar rempli de lourdauds cossus et de

filles aux jambons évidents, pouvais-je me transporter
sur les montagnes et voir deux flaques bleues ?

Ce n'était pas du tout un sentiment d'admiration qui
s'emparait de moi : c'était un sentiment de pitié. Car ces
lueurs liquides étaient perdues dans le monde. Ce double
lac de montagne, prisonnier du ciel, personne pour le
regarder.

Cette femme n'avait que ses yeux. Vous comprendrez
à quel point cela était vrai quand je vous aurai dit qu'elle
était bossue.

Moi, sans doute qu'il me vint aussi de beaux yeux.

Je remuai un peu et je lui proposai de dîner avec
moi. Elle tressaillit ; mais tout son étonnement s'était
épuisé auparavant ; il ne lui en restait plus. Elle accepta
d'une voix calme.

Quand son patron se leva et la vit rester auprès de
moi, il s'étonna et fut sur le point de se scandaliser ;
mais il était pressé. Mon camarade en s'en allant mit ce
trait au compte de ma loufoquerie. Dès l'âge de onze
ans, il me méprisait.

★

Je n'ai jamais vu le corps d'Annie. J'ai été, peut-
être suis-je encore son amant. Un amant qui va et qui
vient. Un amant très respectueux, très lointain.

Je lui avais dit que je vivais avec une femme qui ne
m'aimait plus mais qui ne voulait pas me quitter. J'ajoutai que je voyageais beaucoup. Elle a aisément ignoré
que je la privais peut-être de quelque chose.

Quelques hommes lui avaient déjà fait la cour et même
elle avait accepté deux ou trois d'entre eux, quels qu'ils
fussent, dans l'idée saine de voir se rompre la barrière
qu'elle risquait d'imaginer entre elle et la vie. Mais
l'eau de ses yeux n'avait nullement été atteinte et
attendait.

Ne croyez pas que ce soit un être détaché. Non, Annie est sensuelle. Loin d'être insensible aux petites grâces, au contraire elle les goûte avec plus d'acuité que nous autres. Elle aime que je l'emmène manger à droite et à gauche, dans des restaurants assez brillants, où assez crûment elle se réjouit de n'être pas seule. Elle s'habille avec une adresse extrême ; elle ne cherche pas dissimuler son malheur.

Vous allez croire que je suis un esthète. Fichtre non. Qui pourrait être encore un esthète et prétendre choisir les choses ? En attendant la mort du siècle dans des supplices atroces, nous acceptons avec simplicité ce que nous donne encore la vie. Je vous assure que je suis un homme simple et que je ne tire aucun plaisir du regard curieux et obscène que jettent des hommes et des femmes sur notre couple

Si j'ai fait étalage de quelque chose à certaines heures, c'est devant ma glace de ma tendresse pour Annie. Je n'en crois pas mes yeux.

Au bout d'un certain temps que je suis séparé d'Annie, je souffre. Cela commence par une inquiétude à peine sensible et qui me laisse de longs et parfaits répits. Je puis jouir encore de la belle femme que je viens de rencontrer et pour laquelle je crois oublier Annie. Mais la souffrance revient, et toujours plus aiguë, plus délicate.

Je pense à Annie qui m'attend, qui est seule. Et puis je vois ses yeux. Ses yeux que rien ne peut altérer. Quand on voit ses yeux, on ne peut croire que la souffrance puisse altérer ou atteindre son être. Le mal y tombe comme une pierre dans l'eau sans fond de la montagne. Mais il y a pourtant le moment cruel, le moment où les cristaux du mal se fondent dans cette eau. Quand je pense à ce moment, je suis parcouru par un frisson intolérable.

Moi qui ai été si indifférent, moi qui ai opposé un front si stupide à la souffrance des autres, moi qui ai vécu si aisément au milieu du concert des plaintes et des hurlements ; enfin, j'ai trouvé le défaut dans mon moi, dans mon dur moi. Une charnière entre deux plaques de ma cuirasse s'est tordue, et le fer est entré. Béni soit le fer. Le fer est dans mes entrailles et mon sang coule.

Je reviens vers Annie. Certes, ce sera pour repartir ; mais je reviens encore. Ce chemin de la souffrance, comme il est persuasif.

Par la souffrance, arriverai-je enfin à la paix ? A la paix, non jamais. Annie est si fragile. Un mot, un geste pourra toujours la blesser, venant de moi si dur. Toujours je frissonnerai, toujours je serai inquiet.

★

C'était vers neuf heures du soir au printemps, le long du parc Monceau, boulevard de Courcelles. Là passe la longue procession des prostituées qui vont de l'Etoile à la place Pigalle — une vue qui me serre le cœur d'un pressentiment tragique. La lumière crue des candélabres s'adoucissait sur le jeune feuillage. Il avait plu et on aurait pu croire que le bitume exhalait un parfum de terre. Les maisons de notre époque sont moins laides à cette heure-là et on peut croire qu'on vit dans une ville qui a gardé quelque chose des temps fabuleux de la beauté.

Là, j'ai fait la connaissance d'une autre femme. C'est une figure que vous connaissez tous pour l'avoir rencontrée du côté des Champs-Elysées ou du parc Monceau : c'est la Femme aux Chiffons. Elle est couverte de hardes, engoncée dans la crasse et dans la folie. Elle semble ne pas vous voir, tandis qu'avec ses mains noires elle remue tous ces lambeaux dont chacun a autant de signification pour elle qu'un souvenir. Un souvenir jusqu'au dernier jour est une promesse.

Je me suis aperçu qu'elle fait semblant de ne pas vous voir, mais qu'en réalité en une seconde elle saisit toutes les silhouettes morales. Quand un homme ou une femme sensible passe dans le champ de son regard apparemment terne, aussitôt son nerf optique frémit. Mais il se dessaisit aussi vite de l'objet, car les êtres humains vont par séries, et il n'est point d'être qui ne soit déjà représenté dans la mémoire de la Femme aux Chiffons par son type. Elle est une collectionneuse hallucinée qui n'a gardé que quelques pièces essentielles et avec une sauvage sévérité brûlé le reste. Elles sont incrustées dans sa mémoire. Vieillir, c'est lâcher enfin la proie pour l'ombre qui est l'âme de la proie.

Je m'assis à côté d'elle sur le même banc. Aussitôt elle eut une imperceptible réaction de jeunesse ; un inénarrable sourire de coquetterie, de gratitude, d'abandon, de calcul ombra sa gueule tannée de clocharde comme une onctueuse toile d'araignée. Mais non, je n'avais rien vu : son visage était demeuré tout attentif au conciliabule intérieur.

Le hasard m'aida et je la rencontrai plusieurs fois de suite, à quelques jours d'intervalle. Il n'y a pas de fous — si ce n'est ceux qui ont une blessure physique — qui échappent tout à fait à la communion humaine, en dépit de leur plénitude. Et puis, elle devina que j'étais son pareil. Il fallait chez moi une grave altération de la vie pour que je m'assoie sur ce banc et que mon regard fixât avec tant d'attention ce chiffon vert.

— Les hommes, commençai-je...

— Les hommes, continua-t-elle. Je n'ai jamais eu une amie femme. Jamais le temps d'y penser. Et puis, les femmes entre elles n'ont pas de conversation. J'ai eu pitié de quelques femmes, à cause de leurs souffrances. Mais un homme que j'aimais, je pouvais le rendre heureux mieux qu'aucune autre femme ne pouvait le faire. J'ai eu pitié des hommes plus que des femmes. J'ai torturé quelques hommes, ceux qui sous l'apparence généreuse que donne la passion gardaient tout prêt un ignoble égoïsme. Il y en a eu un que j'ai ruiné : il me disait : « Tu ne m'aimes pas parce que je suis laid. » Le pauvre, son âme était bien plus laide que son corps. Le salaud.

— Les êtres beaux et cruels sont quelquefois des redresseurs de torts.

Nous causâmes plusieurs fois de la sorte.

★

Ma maxime principale a été de nourrir séparément mes passions. C'est somme toute cette maxime qui dit de « diviser la difficulté en autant de parties qu'il se pourra ». Mais les maximes sont faites pour être oubliées : il m'advint donc un soir de réunir Annie et la Femme aux Chiffons. Ce fut un soir de réveillon.

A cette époque, j'éprouve toujours un malaise épouvantable. En vieillissant on est de plus en plus sensible aux saisons, et de même que j'attends le printemps avec une impatience croissante, chaque Noël m'effraie un peu plus. Et pourtant Noël, n'est-ce pas déjà le tournant de l'année ? N'est-ce pas dans le ciel la première petite pointe du printemps ? Mais dans nos grandes villes c'est le moment où l'ignominie de vivre à cinq millions dans la même chambre éclate et éclabousse le cœur des solitaires. Alors, on a honte de n'être plus paysan, et honte de cette vaine honte, et on fout le camp. Mais je ne puis m'échapper vers les villages de silence et la plus noire mélancolie m'envahit.

On se saoule, à moins qu'on n'ait une famille. Mais moi, je n'ai pas de famille. Mauvaise semaine pour les solitaires.

Donc, ce réveillon-là, j'ai fait le rassemblement que j'ai pu.

Il y avait Annie, la Femme aux Chiffons, et deux hommes. Deux hommes, si je puis dire : les deux frères Saint-Crosne.

Quand je fis mon invitation à la Femme aux Chiffons, elle jura avec de vives exécrations qu'elle ne se rendrait pas à cette invitation tout à fait contraire aux règles de son ascèse : étant revenue de tout, elle ne pouvait aller nulle part.

Je dis à Annie que nous aurions un arbre de Noël chargé de pendus. Les frères Saint-Crosne bien que chacun prétende tirer à hue pendant que l'autre tire à dia, vont partout ensemble et une fête manquée ne pouvait que les attirer.

Où donner mon souper ? Je n'ai pas de domicile. Pas de famille, pas de domicile. Je me décidai pour un souper froid dans un atelier qui abritait à l'ordinaire des opiomanes. Les opiomanes étant partis pour les sports d'hiver.

J'avais fait venir des rues voisines deux énormes braseros de sorte que, moyennant une fenêtre ouverte, nous étions bien chauffés, sans être asphyxiés. Et la Baronne qui arriva la première vit que j'avais bien fait les choses en fait d'en-cas et de somptueux casse-croûte. Ce n'était pas pour rien que j'étais dans une période de vaches grasses.

La Baronne alla s'asseoir sur une chaise qui parut aussitôt branlante, tendant ses mains noires à l'un des braseros. Elle aurait pu aussi bien être sur la place Malesherbes : elle avait du savoir-vivre.

Ensuite arrivèrent les frères Saint-Crosne qui pour diverses raisons peu apparentes au premier coup d'œil sont difficiles à distinguer l'un de l'autre. Nés à deux ans d'intervalle, semble-t-il des mêmes parents, ils sont de gabarit opposé : l'aîné, Denys, est petit et chétif, le cadet, Etienne, est gros et massif. Ils ont dans les trente-cinq ans. Ils ont de petites rentes, des relations et écrivent dans d'obscures revues, chacun de son bord. Ils sont connus dans certains cercles et également méprisés. Ce son en effet, l'un pour ceux-ci, l'autre pour ceux-là, de dangereux miroirs. A part cela, ils sont sales.

Le lieu ne les étonna pas trop, car ils ont piétiné dans les esthétiques et cette table flanquée de feux au milieu d'un espace indéterminé flatta chez eux le goût pervers de nos contemporains pour la plus maigre simplicité.

Par exemple, ils furent choqués de la commensale que je leur infligeais. Ils crurent d'abord à une injure laborieuse, l'un et l'autre avaient le souvenir de mainte humiliation. Ensuite, ils pensèrent que c'était une farce et se doutèrent avec plaisir qu'elle ne pourrait donner grand-chose.

Cependant, ils m'avaient jeté les regards les plus contradictoires.

— Permettez-moi, dis-je... La Baronne... peu importe... Messieurs... vous voyez, j'oublie toujours...

Dans mon angoisse de déplaire à la Baronne en lui présentant ces paltoquets, j'oubliai leur nom.

La Baronne, sans leur donner un regard, avait soudain plongé les mains dans ses paquets de chiffons et cherchait quelque chose.

Nous engageâmes la conversation.

— Il fait chaud, dit Denys.

— Il fait froid, dit Etienne.

C'était vrai. Je m'élançai dans des propos sur les pays de neige où je n'ai jamais mis les pieds. Eux non plus ; aussi purent-ils me tenir tête.

La Baronne atteignit dans un de ses baluchons une zone de choses métalliques, à en croire nos oreilles. Et au milieu d'un énorme bruit, elle manifesta un petit bout de bougie. Elle l'alluma en le plongeant dans le brasero et par la suite s'en éclaira quelque peu. Pourtant, mes flambeaux étaient nombreux.

Les frères Saint-Crosne me regardèrent sans rire.

— Caricature de la pauvreté, commença Denys.

— Luxe sordide, continua Etienne.

Annie entra. Une inquiétude se fit sentir aussitôt : Annie, après cette soirée, ne serait plus Annie. Mais Annie, je le vis à son premier et à son second regard, était au-dessus d'un si misérable doute.

Je dois dire à l'honneur des frères qu'ils furent séduits par les yeux et ne semblèrent pas prendre la bosse en mauvaise part, ils ne prirent pas un air discrètement apitoyé. La Baronne, sans se détourner de sa bougie, poussa un grognement inquiétant.

Annie n'était pas à la mode en sorte qu'elle ne battit pas des mains devant ce spectacle choisi ; elle me chuchota à l'oreille qu'il n'y a pas de banquet qui n'ait à la fin sa chaleur communicative.

J'eus peur de présenter Annie à la Baronne, mais soudain, pour ma surprise, la Baronne souffla sa bougie, se leva et vint tendre la main à Annie qui manqua se trouver mal, car il faut dire que la Baronne puait, de cette terrible odeur fade de la crasse qui vous donne tout d'un coup une idée fort courte de la question sociale, à savoir que tout bipède a ou le droit ou le devoir d'être savonné.

— Qu'à cela ne tienne, dit la vieillarde qui retourna derechef à ses chiffons et dans la zone métallique fourragea jusqu'en extraire un énorme vaporisateur rouillé dont elle s'inonda.

Le parfum à bon marché alternant avec la crasse, cela nous plaça dans une écœurante balançoire.

— Buvons, dit Etienne tout à coup.

Annie offrit un verre à la Baronne qui répondit :

— Je n'aime que le rhum, ce n'est pas à mon âge que je vais me forcer. Vous n'avez pas de rhum. Heureusement que j'en ai.

Elle fouilla derechef dans ses hardes où il y avait aussi un rayon de vaisselle. Elle sortit une fiole que je lui avais déjà vu manipuler une fois d'un air jaloux, sur l'un de nos bancs.

Denys Saint-Crosne trempa ses lèvres dans son verre tandis qu'Etienne lampait le sien.

Voyant que la Baronne avait rompu son vœu de mutisme, ce que je n'avais du tout espéré, comptant seulement sur l'effet de ses silences, je lui dis :

— Désirez-vous savoir qui sont ces personnages ?

— Je ne m'intéresse qu'aux caractères, nullement aux conditions.

— C'est bien ça, ricana aussitôt Etienne.

La Baronne le regarda sans aménité, mais aussi sans antipathie. Sa carrure lui plaisait évidemment, tandis que la silhouette étriquée de Denys l'agaçait.

Toutes les répliques d'Etienne sont toujours prévues. Aussi je pus aisément développer celle-ci à la Baronne.

— Il veut dire que vous êtes une bourgeoise et que le propre des bourgeois est tout d'un coup de ne pas tenir compte de l'absence ou de la présence de l'argent quand ils font de la psychologie.

Bourgeoise, cette clocharde ? Il est évident que la Baronne l'est dans la moelle. Bourgeoise profonde : ces falbalas ne sont plus, pour marquer extérieurement le rang, que des signes, en tant qu'objets de jouissance ils sont tout à fait négligés ; ces bijoux à force d'être des allusions morales peuvent enfin être faux, cette culture acharnée du souvenir remue délibérément des ordures ; enfin et surtout, cette sublimation de ce qu'il y a d'individuel dans la personne aboutit à la totale incommunientilité, à ce gâtisme qui transcende complètement ses points de départ : maison, famille, considération. Bourgeoisie présentant au paroxysme ce qui fait sa grandeur et sa perte.

— Mes grands-parents étaient des paysans, dit-elle fièrement.

— Ça n'empêche pas, grinça Etienne.

— Bien au contraire, m'écriai-je.

Sur ce, je proposai qu'on se mît à table.

Denys de Saint-Crosne, plus chétif que jamais avec son reflet de bougie sur la figure, méditait une fois de plus avec indignation et désespoir sur les abîmes d'ineptie où son frère coulait perpendiculairement et sans arrêt.

— Je comprends très bien pourquoi notre ami nous a invité avec Madame, et aussi sans doute avec Mademoiselle, murmura-t-il en jetant à l'une et à l'autre un sourire de fraternité angélique. Elles sont de la même race que nous, c'est-à-dire une race qui nie tout ce que tu crois affirmer, Etienne, — une race dont tu es toi-même — une race qui n'est pas du monde des classes : la Baronne a dit : je ne m'intéresse qu'aux caractères, je dirai moi : aux âmes.

— Les âmes, commença de rigoler Etienne...

— Je n'ai pas d'âme, moi, Monsieur, coupa la Baronne, je ne vais jamais dans les églises : je ne suis qu'un caractère et je l'ai prouvé dans la vie. Courte et forte, telle était ma devise ; elle est gravée sur ma bouteille de rhum.

— Il n'y a rien sur votre bouteille, observa Etienne.

— Vous parlez de bourgeois, continua la Baronne. Qu'est-ce que c'est ça ? Il y a les imbéciles et les autres, voilà tout. Et puisque nous ne sommes pas ici pour reproduire la foutaise des gens du monde, je vous dirai, monsieur Etienne, que vous êtes un imbécile.

Elle dit ça fort cordialement, car elle aimait les épaules d'Etienne.

— Ce n'est pas un imbécile, c'est l'adepte d'une théorie qui... soupira Denys.

— Et toi tu n'es pas l'adepte d'une théorie ? grasseya Etienne.

— Le catholicisme n'est pas une théorie, c'est une pratique. Une pratique qui s'est formée à travers plusieurs civilisations, plusieurs races.

— ... Bien avant le Christ, et bien après lui, ajoutai-je.

Annie aime le silence. Mais j'aime de temps en temps toucher son silence par une question.

— Te sens-tu bourgeoise, Annie ?

— Je ne lis jamais les journaux.

Elle ignore que Staline et Hitler existent. Ce sont pour elle des monstres familiers et inconnus ; c'est dans l'ombre du quotidien qu'ils la frôlent et la blessent.

— Enfin, que pensez-vous de l'argent ? demanda à Annie Etienne qui s'empiffrait de poulet glacé·et se servait de larges rasades de champagne. Vous gagnez votre vie, alors il me semble que...

— Cela vaut mieux, dit Annie. Je n'ai pas assez d'imagination pour ne pas travailler.

— Le travail mécanique est nécessaire pour soutenir l'imagination, nota Denys qui pensait à la règle des couvents.

— Ah oui ? s'étonna Annie.

— Si vous étiez nonne, osa-t-il commencer dans un souffle...

Depuis son entrée, telle était sur elle la convoitise de Denys. Mais la jolie bossue lui échappait par la gracieuse tangente des évangiles. Elle était de la bande à Jésus.

En riant grossièrement, je criai à la Baronne :

— Il faut vous dire qu'Etienne a de petites rentes et ne fait rien, mais ce qui s'appelle rien. Cela ne l'empêche pas de parler de la sainteté du travail et de l'originalité du prolétariat.

— Bah, dit la Baronne qui ne mangeait pas, j'ai été une putain. J'ai vécu du travail de mon ventre. C'était un joli travail, je vous prie de le croire. L'argent, c'était pour nourrir mon tempérament. J'ai sacrifié tour à tour l'argent à l'amour et l'amour à l'argent. Je les eus ensemble aussi, ce qui vous épate. Le jour où la jeunesse m'a plaquée, l'argent n'y pouvait rien. J'ai oublié l'argent comme le reste. Je regarde les arbres encore quelquefois : ils ne sont pas à tout le monde.

Etienne roula des yeux furibonds.

— Vous étiez belle.

Annie intervint.

— Une femme laide n'est pas plus heureuse riche que pauvre.

— Dans la société que nous bâtirons, psalmodia Etienne, il n'y aura pas de femmes laides.

Cette phrase-là nous en boucha un coin à tous. La Baronne même eut une seconde d'égarement. Puis elle reprit :

— Quand j'étais petite, on nous disait au catéchisme qu'au paradis nous serions toutes jolies. Mais moi je l'étais déjà et je n'avais pas besoin de leur paradis.

— Tu n'arriveras pas à tuer les nuances, nota Denys, ce sont les nuances qui font désirer et souffrir.

— Moi, je crois qu'ils tueront les nuances très bien, assurai-je en passant du foie gras à Etienne. Il n'y a pas de changement sans larmes ni sang.

— Que comptez-vous faire cet été ? demandai-je par la suite à la Baronne.

— Je vais dans les bois... Il n'y a plus de loups.

Cependant je rêvai encore sur nos propos d'auparavant.

— Nous jouissons tous de l'argent. J'ai souvent pensé que les clochards qui dorment sur ces quais superbes, qui errent dans ces avenues...

— Mais oui, je te l'accorde, ânonna Etienne, c'est le lumpprolétariat. Ce sont des parasites. Il y a des parasites en haillons. J'ai pitié d'eux ; j'ai même par instants pitié des parasites en soie.

— Diable, fais attention, ricana Denys.

Puis j'ajoutai, uniquement pour faire pièce à ce pauvre Etienne :

— Heureuses, les sociétés chargées de parasites. C'est leur gloire à la face du ciel d'être accablées d'ivrognes, de poètes, d'ahuris, de spéculateurs, d'historiens, de souteneurs, de cambrioleurs, de prostituées, de philosophes, de propres-à-rien, de vauriens, de communistes en chambre, de monarchistes, d'hérésiarques.

Etienne prit son air le plus puritain :

— Il faut tout nettoyer. Des mitrailleuses, des mitrailleuses.

— Elles arrivent les mitrailleuses.

— Taisez-vous, dit Denys le thomiste en me regardant tristement. Est-ce que vraiment votre cervelle est aussi débile que celle de mon frère ? Vous qui savez si bien discerner la débilité chez les autres. Vous vous êtes complu dans un pittoresque d'apocalypse bien léger. Vous essayez de vous sauver de votre anarchisme en vous jetant la tête la première dans le militarisme.

Je haussai les épaules.

— Pour en revenir à notre sujet qui est bien friable et fait de ce festin un festin d'adieu : la bourgeoisie et l'argent, je dirai franchement où je veux en venir. La Baronne est un bel exemple que j'ai voulu honorer ce soir. Mademoiselle, Messieurs, buvons en l'honneur de la Baronne qui en devenant la Femme aux Chiffons a prouvé que si l'argent ajoute parfois au bonheur, il ne le fait pas. Le bonheur parti, l'argent pour les âmes bien nées est une dérisoire défaite.

— Mais si elle avait eu des enfants ? dit Annie, la larme à l'œil.

Tous, nous pleurâmes à chaudes larmes. Car aucun de nous n'avait d'enfants.

Annie reprit au bout d'un moment, en me jetant un gracieux coup d'œil qui me consola un peu :

— Que peut faire le communisme contre cette fatalité qu'il y a si peu de femmes qui ont des amants qu'elles aiment ?

— Ceux qui ont perdu mon frère et ont rendu son âme si tristement terne prennent une mesure bien étroite de la nature humaine.

— Le foie gras console de bien des choses, riposta Etienne déboutonné, et le jour où chacun en plus du foie gras, pourra vraiment choisir sa chacune...

— ... il s'apercevra qu'elle en aime un autre, rigola la Baronne.

A ce moment, je me levais pour aller chercher de la glace et de loin, dans l'ombre de la grande pièce je regardai mon petit banquet entre les braseros, avec toutes les bougies, les cristaux, les fruits, les argents. La Baronne était magnifique, et à la lueur du flambeau qui allumait son cigare, son visage exhumait une beauté impérieuse.

Le marxiste fut grand et gros, le thomiste petit et maigre. Pourquoi pas le contraire ?

Annie mangeait peu, buvait peu et ses yeux me cherchaient dans l'ombre. Douceur de la famille sous la lampe.

— Le travail et l'argent, l'argent et le travail. Les gens ne parlent que de ça.

C'était Annie qui rêvait.

— Sortis de la campagne, dis-je en revenant, les hommes sont tombés dans une abstraction intégrale.

— Somme toute, vous parlez comme J.-J. Rousseau, remarqua Denys.

— Les hommes sont jeunes, puis ils vieillissent. L'ouvrier est une espèce de paysan fatigué, le bourgeois en est une autre. La ville a été la fleur, maintenant elle est le fruit qui pourrit par terre et d'où la graine échappée ira germer sur un autre continent ou une autre planète.

— Théorie de bourgeois fatigué, hurla la voix avinée d'Etienne.

— L'Europe est finie, repris-je. Le fascisme est sa

dernière crispation. C'est sa façon de simuler le socialisme qu'elle est incapable de faire. Et d'ailleurs le socialisme est lui-même une idée de vieillard.

— La Russie, psalmodia Etienne...

— Qu'est-ce qu'un communiste européen ? Un homme qui vous parle d'ailleurs, de ce qu'on fait dans un continent inconnu. Et d'ailleurs, tu es communiste dissident, exclu. Trop sceptique et trop perspicace. Tu sais bien que déjà là-bas le socialisme a fait long feu. C'était un peuple jeune ; les miasmes venus de chez nous vont bientôt l'asphyxier. Ils n'ont plus d'art comme nous, plus guère de science ; une industrie énorme et simiesque. Et enfin, une armée. Ça, une armée. Terribles, les armées de ce siècle, armées d'apocalypse. Les combats de fous sont les plus atroces. Ils mettront dix ans à se crever les yeux.

— De mon temps, déclara la Baronne en guise de diversion, il y avait encore quelques hommes. Ils m'ont aimée ; mais ils ont été tués à la guerre. Maintenant il n'y a que des pédérastes (excusez-moi, rigola-t-elle en se tournant vers le thomiste et le communiste), des drogués, des eunuques.

— Dans la bourgeoisie, psalmodia Etienne...

Annie rentra en scène.

— Mon ami m'a dit que vous étiez sadiste.

— Oui, soupira Denys, mon frère est sadiste et communiste.

— Et toi tu es un cureton raté, riposta Etienne.

— Enfin, vous êtes tous frais, conclut la Baronne.

— Des exceptions, proposa gentiment Annie.

Je levai un index.

— Il y a à Paris un ménage sur trois qui vit en garni. Il y a un million de célibataires. Paris est peuplé de millions de petites exceptions.

Nous nous levâmes de table en fumant une multitude de cigarettes ou de cigares.

Etienne, ivre, s'approcha de la Baronne d'un air avantageux.

— On pourrait beaucoup vous pardonner parce que vous avez un beau tempérament.

— Tiens, tu oublies la lutte de classes, au dessert, grelotta Denys.

— Les exceptions confirment la règle.

— Les exceptions, c'est la seule règle, certifiai-je.

— Vous me plaisez assez, dit la Baronne à Etienne, mais les hommes que j'ai vraiment aimés étaient des hommes intelligents.

— Je n'aurais pas cru, dit Annie, je croyais que vous étiez trop railleuse.

— Ce sont eux qui m'ont fait le mieux jouir. Quant aux hommes de caractère ce sont les plus ennuyeux en amour.

— Tu comprends, expliquais-je à Etienne, comme les prolétaires ne travailleront plus que trois heures par jour grâce à l'électricité, ils deviendront subtils comme des bourgeois.

— Mais non, dit Denys. Regardez les hommes des pays chauds qui travaillent peu : ils somnolent. Et leur vie sexuelle est effroyablement brute. Tous les pays seront comme les pays chauds.

— Cette petite est niaise, me dit tout à coup la Baronne, pourquoi l'aimez-vous ?

— Madame, rugit Etienne... la Baronne, tu es une muflesse.

— Je suis une femme, jalouse comme toutes les femmes. J'espère qu'il la trompe avec des femmes dans mon genre. J'étais la terreur des douces péronelles.

Elle sortit de son corset une photo où elle était nue à trente ans.

— Je la porte toujours à la place de mes seins. Avoue, ma petite, que tu n'en as pas autant.

— Madame, répondit doucement Annie, ma bosse m'a

rendue sage dès l'enfance. Et quand on a des yeux bleus la souffrance est un charme. Vous avez les yeux gris ; la souffrance vous a rendue cruelle.

— Oui et je m'en vante. Je souffre. Pourquoi est-il venu réveiller ma souffrance. Je vais reprendre mes chiffons et m'en aller. Il me faudra six mois pour rentrer dans l'ordre. Il va falloir que je me saoule comme les trente-six mille clochards de Paris.

— Le clochard, radotai-je, c'est une belle invention. Le clochard en pleine ville qui fait la nique à la police, à la politique, à la politesse.

— Les clochards sont polis.

— Les clochards témoignent pour la Nature...

— Pour Dieu, susurra Denys.

— Il y a des moments où c'est la même chose.

— Les clochards et les clochardes se la coulent douce pendant que les marxistes et les fascistes se torturent. Et que les cent mille avions de l'apocalypse méditent leur vol d'ombre.

— Bonsoir, dit la Baronne.

D'un coup de poing elle renfonça son chapeau à plume et sa main fit passer ses lourds paquets par-dessus son épaule.

— Nom de Dieu, dit-elle en revenant, j'ai oublié mes croquenots sous la table.

En passant près d'Annie, elle lui caressa le menton.

— Petite garce, je parie que tu le trompes.

— Toujours les vieilles plaisanteries, murmura Etienne.

Au moment où elle allait sortir, elle chancela et le lourd paquet tomba de son épaule. Il se dénoua et épanouit ses inénarrables trésors au milieu du parquet.

Il y avait plusieurs gros paquets de billets de mille au milieu des vieux journaux et des vieux chiffons.

1935.

L'intermède romain

(Nouvelle)

I

L'hiver de 1925, j'étais un soir dans un dancing de la rue Caumartin qui s'appelait le *Jardin de ma Sœur* et qui fut un des plus brillants de ces années-là.

Les gens, dont beaucoup n'avaient pas laissé de s'amuser autant que possible dans les derniers temps de la guerre en étaient sortis avec l'idée de s'en donner dès lors sans mesure et un lustre plus tard ils n'étaient pas encore lassés de rechercher les mêmes plaisirs. Cela devait durer jusqu'à la crise qui préluda longuement à la nouvelle guerre, laquelle devait être beaucoup plus sévère que la précédente et montrer le fond du sac.

Il y avait dans ce public le mélange habituel, c'est-à-dire une minorité de Français et beaucoup d'étrangers. Si on avait retiré tous les étrangers de Paris, la réalité serait apparue et il ne serait pas resté assez de gaieté pour animer tant de fêtes. J'avais remarqué de bonne heure que les Français ne valaient plus guère leur ancienne réputation et qu'ils manquaient de l'entrain que prodiguaient leurs hôtes, d'ailleurs à grand renfort d'alcool et en attribuant par superstition le mérite de tout le bruit à ce Paris comparable sans doute à la Venise des dernières années du xviiie siècle.

Le décor était fort laid et au fond pauvre comme dans tous ces lieux, sortis de tavernes pour gens riches sans domicile ou ennuyés de leur domicile ; mais il y avait de belles femmes et quelques beaux hommes.

J'étais là avec un ménage du beau monde qui, aussi souvent que je le lui permettais, me sortait parce que tout en ayant assez bonne mine je leur apportais cette pointe d'esprit qui manquait tant autour d'eux. Le mari avait un beau nom et un beau titre et la femme beaucoup d'argent. Le mari n'aimait pas les femmes et la femme pensait encore aimer son mari qui pour l'occuper lui avait fait deux ou trois enfants. Cette sorte d'humanité était monnaie courante et le seul trait remarquable était que la femme n'aimait pas les femmes et que ni l'un ni l'autre ne prissent de drogue. La femme, qui tirait ses revenus d'un gros commerce de savon que faisait sa famille, n'était pas laide et m'émouvait de pitié pour sa naïveté un peu dolente. Je lui pardonnais le mari qu'elle avait acheté et qui lui coûtait non seulement sa fortune peu à peu mangée, mais aussi le misérable vide de son cœur, à cause qu'elle avait un goût assez fin et s'attifait avec assez de tact. Quand je dis cela n'en croyez pas trop ; le fait est que je n'ai jamais rencontré une femme qui m'ait donné le sentiment de l'originalité et de l'imagination dans sa toilette. Cette madame de Godillon suivait la mode avec assez de prudence, voilà tout.

Godillon était insupportable : au physique, il avait ce faux air allemand qui rappelle peut-être dans sa noblesse une lointaine ascendance germanique et un genre vilain gamin qui a raté sa puberté et qui tour à tour le cache et s'en vante. C'est un fait que fort peu de ces êtres dissimulent entièrement leur particularité. La raison peut en être qu'il y a fort peu d'êtres de qualité capables de dominer les routines de sexe, de classe ou de nation — ou que rien de tout cela ne peut être maîtrisé par personne. Il se croyait spirituel parce qu'il était railleur et sa raillerie n'était que de la méchanceté contenue par la peur.

Car il avait peur et peur de tout. Il avait eu peur de la guerre et il avait peur dans la société ; sans doute frôlait-il sans cesse un vilain scandale de mœurs.

Je voyais ces gens-là parce qu'il faut bien voir quelqu'un et que dans ce temps-là je ne savais pas passer mes soirées chez moi. J'aimais autant les gens riches que les gens pauvres : ceux-ci ont les mêmes travers que ceux-là et d'autres en plus. Et puis, j'avais gardé l'habitude d'aller dans des endroits de plaisir où, l'année d'avant j'avais encore l'espoir d'y rencontrer la joie. J'avais rencontré cette joie, c'est-à-dire l'amour, mais j'avais bientôt perdu l'un et l'autre — au printemps précédent.

J'avais eu un grand chagrin, mais pas très long. Un chagrin violent, convulsif qui s'était assez vite calmé dans l'alcool et la noce. Le mal n'en était pas moins fait et je ne me suis jamais relevé tout à fait de ce malheur ; il faut des années pour acquérir tout le sentiment qu'on a versé de vrais larmes à un certain moment et que beaucoup de la vie est parti avec ces larmes.

J'avais aimé une Américaine et elle était repartie pour l'Amérique ; il y avait, ce soir-là, au *Jardin de ma Sœur*, encore beaucoup d'Américaines : je les regardais avec effroi.

Les Godillon observaient toute la salle où ils connaissaient beaucoup de monde et accroissaient le peu de science que j'en avais. Ils étaient très intéressés par une table où il y avait deux jeunes messieurs au beau nom que je connaissais depuis longtemps déjà et qui accompagnaient une fort belle femme, dont on me dit que c'était une Hongroise. Je la distinguais mal de loin et je la regardais peu. Je n'étais pas content de moi : j'avais encore longuement parlé de la perte que j'avais faite à ces Godillon et j'avais un peu dilapidé le trésor de ma peine.

Armand de Godillon, qui avait horreur des femmes à

commencer par la sienne et qui ne pouvait croire que je n'eusse ses goûts, me laissait parler mais se moquait de moi par en dessous, d'autant plus qu'il avait connu ma dame et l'avait trouvée fort laide, de petite extraction et de trop peu d'argent. Pourtant, il savait que mon chagrin était vrai et en était vaguement ému. Mais on a beau être indiscret, on ne l'est jamais autant qu'on le risque et le meilleur de ce chagrin je ne parvenais pas à le mettre au jour et à l'exposer aux regards. Il m'arriva de danser une ou deux fois avec Totote de Godillon. Son mari m'y encourageait. Peut-être aurait-il souhaité que je devinsse son amant pour le débarrasser d'elle ou pour entrer dans une sorte d'intimité avec moi. Certes, elle avait une lourde poitrine qui ne me déplaisait pas, mais il me suffisait d'imaginer qu'elle tient encore un peu à son mari pour en rester là.

En dansant, nous nous trouvâmes nez à nez avec la belle Hongroise et l'un de ses compagnons, Xavier de Squandrel. Celui-ci m'avait adopté depuis assez longtemps parce que fort coureur il m'admettait comme coureur derrière lui et parce qu'homme de peu je m'habillais proprement. Se piquant aussi de lettres, il avait entendu dire que j'étais lettré. Il me présenta à la Hongroise. Je m'aperçus qu'elle était vraiment fort belle, et j'en conclus aussitôt selon mon habitude qu'elle n'était pas pour moi. J'ai toujours été étonné que qui que ce soit me porte intérêt pour quoi que ce soit : cela ne m'empêche par d'être orgueilleux, et même suffisant, bien au contraire.

Je ramenai Totote à table qui assura à son mari que j'avais plu à la comtesse Fahvésy. Tandis que mon visage montrait cette expression naïve que notre vanité toujours en éveil tient à la disposition de toute flatterie, quelque chose d'un peu plus intérieur frémit en moi parce que je me rappelais ce que j'avais remarqué avec étonnement une seconde et que j'avais oublié la seconde d'après, un sourire soudainement et simplement affectueux dans un visage figé, un véritable masque au modelé extraordinairement uni. Et puis, au-dessous, un décolleté immense, vertigineux, des pentes de marbre.

Le frémissement passa, s'éclipsa et un grand vent de désolation me revint à la mémoire.

Cependant, tard dans la nuit Squandrel me téléphona et me dit :

— Comment trouvez-vous Edwige ?

— Belle comme la nuit.

— Elle s'intéresse à vous. Vous pourriez lui téléphoner.

— Croyez-vous ?

— Mais oui, mon cher. Elle vous dit de le faire.

— Ah bon.

C'était de nouveau ce frémissement, cette ouverture sur la vie que je croyais fermée. Que je voudrais croire fermée, bien que déjà plusieurs fois depuis le printemps dernier, bien des ouvertures se fussent offertes. J'étais attendri par tant de beauté ; pouvait-on l'accabler de ce regard morne que je méditais contre toutes les créatures ? Et puis, ne fallait-il pas faire une exception dans ma vie ? Avais-je décidé une fois pour toutes de me détourner de toutes ces belles femmes et de n'aimer que des laides ? Enfin, tôt ou tard il me faudrait bien connaître une de ces femmes élégantes que je frôlais sans cesse et que je ne voulais pas toucher.

Le lendemain, je téléphonai à la comtesse. Après des pourparlers difficiles avec une femme de chambre étrangère, j'eus au bout du fil celle que je désirais beaucoup moins que dans la nuit, car ces amours sont de la nuit et se réveillent avec un frisson de gêne et de dépaysement. Je lui demandai de la voir et elle me répondit de venir à cinq heures.

Un imbécile en moi admira cette noble facilité.

Je vins à cinq heures à son hôtel. Le portier téléphona

et trouva aussi naturel qu'elle que je fusse invité à monter dans sa chambre. Dans le couloir il y avait des malles marquées de ses initiales et cela précisa le sentiment de déplaisir et de détachement qui était monté en moi d'étage en étage. La femme de chambre à l'accent étranger me reçut et m'introduisit dans la chambre. Je vis alors que cette femme était d'une pâleur extraordinaire, avec même des reflets de jade dans la pâleur.

Elle avait un accent presque aussi fort que sa femme de chambre bien qu'elle parlât le français aussi couramment qu'on parle l'anglais. Nous échangeâmes tranquillement des banalités révoltantes tandis que la femme de chambre rangeait des robes.

Quand la femme de chambre fut partie, je m'aperçus que la comtesse était dans une sorte de peignoir et allongée sur un petit divan. J'étais assis près d'elle.

C'est très difficile de raconter une histoire parce que si on entre dans les détails on est trivial et si on n'y entre pas on est noble.

Je parlai. Les hommes sont faits pour parler et les femmes pour les écouter. Il faut surtout que les hommes parlent pour que les femmes se taisent. Mais celle-ci était de ces fiers animaux qui savent qu'il n'y a rien à dire. Elle avait un grand et long visage où la pâleur était une nudité de plus sur l'aveu parfaitement calme de la majesté. Et cette nudité du visage se continuait à la poitrine qui se montrait beaucoup moins à moi que la nuit à tout le monde.

Je parlai. D'une façon trop personnelle, avec un souci nerveux de ma personne. C'était ce qu'elle attendait d'un homme de ma sorte et elle était disposée à s'y plaire ou à le supporter.

La démence me pressait et m'engageait à lui dire au plus tôt que je souhaitais faire ce qui est le plus souvent défendu — défense dont je m'accommodais si bien — toucher la statue de façon qu'elle se défasse. Elle eut un

sourire de bonté qui me mit dans un univers à jamais
ignorant d'un autre où peut exister quelque chose qu'on
appelle l'obscénité. Il y a des femmes paraît-il qui
rendent un homme obscène, ce sont les intellectuelles.
Mais madame Fahvésy s'allongeait sur le divan avec une
mansuétude de déesse et je me mis à émouvoir tout ce
marbre. Elle avait une admirable poitrine pâle comme
son visage, d'une pâleur où il y avait un reflet d'ambre.
C'était de ces seins attachés assez bas comme m'en avait
montré pendant deux saisons Dora qui était si laide au
visage et si belle au corps, précisément détachés de la
poitrine et imperceptiblement fléchissants pour qu'ils ne
paraissent pas trop roides, trop arrogants, pour qu'ils
prennent un air d'indolence et de condescendance. Dieu
que j'ai aimé les seins des femmes dans ma vie, quel
culte épuisant et inassouvi je leur ai voué. Objets mer-
veilleux qu'on n'a jamais le temps de considérer assez
longtemps à cause de la hâte du désir, de cette demi-
indifférence qu'il entraîne et qu'il conserve dans la torpeur de son assouvissement, que les femmes ne savent
pas faire valoir car elles n'ont aucun sens de la pose, de
la pose multiple et infiniment versatile, offerte à tous les
virements de l'ombre et de la lumière. Du reste, cette
Edwige était une femme du monde ; or, le plus souvent,
les femmes du monde ont encore moins d'imagination
et d'entregent que les autres femmes.

La promptitude de notre accointance convenait parfaitement à mon tempérament qui s'offusquait toujours
des écrans que les complications sentimentales et les
raffinements moraux mettent entre l'admiration physique et son objet. Il arrive qu'avec les hommes de mon
espèce, nerveusement et facilement dévoyés dans la carrière du rêve, les femmes soient souvent punies de leur
hypocrisie, de leurs petites feintes de défense et de
retard, par l'oubli dans lequel tombe un homme de
son plus simple appétit. Cela m'était arrivé plus d'une

fois, mais cela ne m'arriva pas cette fois-ci grâce à la majestueuse simplicité de cette statue tout bonnement consentante à devenir chair.

Le devenait-elle tout à fait ? Il y avait au fond d'elle comme la douleur d'adhérences meurtries, comme si un peu trop prompt, j'avais heurté une chair qui dans sa profondeur se trouvait pressée sur des épaisseurs de marbre. Le plaisir se confondait ainsi avec la souffrance et il sortit une plainte rauque qui m'étonna.

Je me mis à reparler, je parlais beaucoup dans ce temps-là et je ne cultivais qu'en secret la vertu du silence, alors que depuis j'ai su la laisser régner en maîtresse dans mes meilleures heures. Je cherchais des mots pour mettre un accent sur ce moment et pour pénétrer cette femme de sa beauté dont il n'était pas sûr qu'elle fût seulement avertie, car les compliments qu'elle avait reçus jusque-là étaient fort peu capables de la cultiver et de la fertiliser par sa propre semence.

Elle m'écoutait avec assez d'attention et semblait avoir vaguement attendu mes étrangetés qui la surprenaient pourtant. Elle était sensible, comme toutes les femmes l'avaient été, à cette apparence de folle tendresse dans quoi se roule le désir à sa naissance et qui multiplie ses atteintes ; elle y semblait même un peu plus sensible que d'autres, que Dora en tout cas. Je ne songeais pas qu'avec Edwige je rentrais en Europe et retrouvais un peu cette fine douceur qui est si absente des cœurs américains les mieux disposés.

Cependant, le téléphone nous dérangea et aussitôt je réalisai que je n'étais pas à mon aise dans cet hôtel. J'inventai qu'il ne me fallait pas devenir importun, je parlais de m'en aller et la dame qui renfilait lentement son peignoir avec d'immenses gestes des bras m'avoua que sa journée était encombrée et qu'avant le dîner il lui fallait courir ici et là.

Je m'en allai et je trouvai seul dans la rue ce plaisir

de délivrance qui m'a toujours pris alors même que dans le moment d'avant je goûtais une vraie joie. Pourtant il n'en était pas ainsi avec Dora, aussitôt que je la quittais j'étais étreint par l'inquiétude et la jalousie, le regret de l'avoir vue si peu de temps aujourd'hui et l'angoisse de ne l'avoir pas plus longtemps demain.

Au souvenir de la volupté se mêlait une satisfaction sociale : j'avais eu enfin une belle dame. Mais y avait-il là de quoi avoir honte. D'abord, on ne devrait jamais avoir honte de rien, et ensuite un plaisir humain n'est jamais pur. Il n'est jamais d'une seule essence et s'emmêle toujours avec d'autres plaisirs qui sont d'autre extraction. Il en est de même pour les peines. On ne peut pas jouir d'un corps en soi, d'une âme en soi et une conquête sexuelle est toujours une conquête sociale.

II

La comtesse Fahvésy m'avait promis de me revoir aussitôt qu'elle pourrait ; elle n'était que pour quelques jours à Paris et elle avait un tas de choses à acheter et une foule de gens à voir. Elle sortait toutes les nuits et dès le matin, elle devait se remettre à l'ouvrage. On pourrait dire sans trop exagérer que la vie des oisives est exténuante. Etait-ce à cette exténuation qu'il fallait attribuer la cause d'une si grande pâleur et qui était devenue extraordinaire au moment de la joie ?

Squandrel me téléphona et me demanda :

— Comment avez-vous trouvé Edwige ?

Il me fallait comprendre que celle-ci l'avait mis au courant de notre entretien. Cette indiscrétion ne me donna aucun malaise, car nous vivions tous alors dans une promiscuité qui était grossière mais qui était aussi un emportement ingénu contre d'anciennes hypocrisies dont nous avions perdu le secret.

Pourtant, en bon plébéien que j'étais, je voulais donner une leçon à Squandrel à peine introduit dans son monde... par la petite porte de l'alcôve et je marquai une réserve qui le fit ricaner.

La comtesse ne vint chez moi que deux jours plus tard. Je me demandai si elle avait d'autres amours. Sans doute, mais cela m'était indifférent. Il me semblait qu'avec Dora j'avais épuisé toutes mes ressources de

jalousie et de souffrance. Souffrais-je encore de Dora ?
oui sourdement comme j'en ai souffert une bonne partie
de ma vie sans plus y penser précisément. J'y pensais
si peu que je servais la comtesse dans cette chambre et
dans ce lit consacrés par Dora. On change les draps,
mais c'est tout.

La comtesse vint. Elle avait de longues jambes et portait l'uniforme de la mode avec une sobriété impeccable.
Son visage où il y avait une véritable somptuosité de
ligne contrastait avec cette sobriété, il semblait fait pour
baigner dans les dentelles et les brocarts. Et pourtant en
elle ne subsistait rien d'altier ni de solennel d'autres
mœurs. C'était bien une fille de notre siècle, affairée et
simplifiée, qui se démenait dans nos grandes cités démocratiques pour se maintenir à un niveau qui pour être
au-dessus de beaucoup d'autres n'en avait pas moins
baissé.

Elle entra chez moi avec cet air de bonté, d'affection,
d'attention discrète mais anxieuse que j'avais déjà remarqué et auquel je me familiarisais avec un commencement
de curiosité plus aigu. Mais j'étais un peu gêné par tout
ce que je ressentais de hâtif et de surmené dans les heures
qui nous avaient séparés et dont d'ailleurs elle se montrait la victime résignée et épuisée, tout de suite allongée sur ce divan qui était aussi mon lit.

J'aurais voulu un peu causer avec elle, mais elle ne
m'avait pas caché qu'elle avait peu de temps : il fallait
donc se déshabiller. Cela me donnait de la nervosité. Et
aussi le fait qu'elle n'avait guère regardé autour d'elle
et semblait indifférente au langage pourtant si pressant
que parlent les objets qui sont toujours dans une chambre
et qui, fidèles de leur propriétaire, tiennent passionnément à parler de lui à tout venant. Mais y avait-il de
tels objets dans ma chambre ?

J'habitais dans le plat et morne quartier de Monceau.
Au plus fort de la crise du logement après la guerre

j'avais trouvé là un lieu que je croyais quitter le lendemain et que je hantais encore quelques années plus tard. Le quartier où j'avais passé une partie de mon adolescence me déplaisait et j'avais horreur du rez-de-chaussée ; pourtant je restais là par paresse et manque d'argent. Et puis, je goûtais assez ce grand immeuble, construit vers 1880, époque où les architectes avaient encore un petit reste de grandeur aux pointes de leurs compas et son voisinage avec le parc Monceau plein d'oiseaux au petit jour quand je revenais de la noce. Je n'avais qu'une grande chambre qu'un décorateur d'occasion avait fait peindre en vert, couleur que j'exècre. Tout était sauvé par une belle étoffe chinoise, brochée d'or, qui couvrait le lit et en faisait un divan assez orné.

La comtesse se déshabilla. Il est beau de voir comment les déesses sont femmes et descendues de l'Olympe savent manier les accessoires de ce bas monde. Du reste, moi qui n'avais jamais souri à voir un femme se dévêtir mais qui en devenais très sérieux et très ému, comment aurais-je souri à voir dépouiller ses longues jambes d'attendrissantes toiles d'araignée, ces délicieux symboles de la vétusté humaine. Je ne souriais pas, j'étais nerveux.

Un vent de déroute soufflait dans la chambre, en dépit de la lourde et stable effluve du calorifère ; je sentais cette femme pressée, meurtrie par la hâte des jours. Je la regardais mieux tandis qu'elle laissait tomber ses minces vêtements : il y avait quelque chose d'épuisé et de hagard sur son visage. Et elle me regardait elle-même avec une attention plus déclarée, maintenant interrogative. Elle se mit entièrement nue avec cette simplicité que j'avais déjà remarquée et qui était une perfection admirable. Du reste, les lignes si pures de son visage et de son corps lui dictaient cette rectitude. Elle s'allongea dans les fleurs d'or de mon unique richesse. Ah pourtant, sur la cheminée il y avait un vase carré avec quelques roses.

Je ne savais soudain que faire d'elle. C'était une étrangère de passage à Paris, je n'avais pour ainsi dire connu que des étrangères, mais celle-ci ne faisait vraiment que traverser Paris et elle m'apportait l'épouvante d'un monde qui me semblait bien plus étrange que son pays. Ce que j'avais déjà soupçonné deux jours plus tôt dans sa chambre s'imposait dans la mienne où elle ne faisait qu'entrer et sortir : la rigueur inexorable et absurde de cette vie de luxe et d'apparat. Elle avait « fait des courses » avant le déjeuner, elle avait déjeuné « chez des gens » et elle avait recommencé ses courses. Elle s'était déjà déshabillée deux fois chez elle et une fois chez sa couturière. Je regardais ce corps patiné par les essayages, les changements à vue — et cette âme emportée dans le vent. J'essayais en vain de la saisir, de porter mes mains sur elle ; mes mains ne se fermaient pas.

Je n'étais pas à mon aise, j'étais pris dans un mouvement insolite, je ne croyais pas qu'elle était là immobile, couchée ; il me semblait qu'elle était encore ou déjà debout et que c'était un double peu véridique et impalpable qui était horizontal. Moi, ma vie était si lente. Je sacrifiais tout et avec soin à la lenteur. J'écartais l'argent, la renommée, même le travail pour être lent, pour revenir sans cesse près de l'immobilité, qui était mon but jamais atteint, mais sans cesse amoureusement frôlé. Cette chambre était le lieu d'incantation sans cesse abandonnée, sans cesse reprise où je songeais à capter mon âme et où une autre âme qui passait, toute éventée et en déroute, introduisait un terrible désarroi. Terrible, car il était armé de la beauté et justement d'une beauté qui disait toutes les puissances de mon rêve, qui les disait de la façon la plus trompeuse. Cette Héra, cette Junon en ce moment silencieuse et impassible parmi les fleurs d'or, sur fond vert, asseyant ses deux seins comme deux blocs de marbre inébranlables sur la certitude statique

de tout son corps figé m'inspirait par les effets contraires
et diaboliques de la double vue le sentiment de l'insta-
bilité la plus affolante.

Sous l'empire de ces impressions, les caresses que je
répandais sur le beau marbre s'alanguissaient. En même
temps je les prolongeais indéfiniment car je sentais qu'en
moi le désir qui était vif avant que la dame ne fût là et
qui s'était un peu divisé dès son arrivée demeurait épars.
J'essayai en vain de fixer mon attention sur ces seins,
sur ce ventre, sur ces cuisses ; mon regard était fixé mais
mon esprit n'y était pas. Or le désir passe par l'esprit.

Voilà un genre de traverse que j'ai mis des années à
comprendre. Il m'a fallu rencontrer une femme qui se
saisît entièrement de moi, corps et âme et pour tout
le reste de ma vie jeune pour que j'admette tout à fait
ce dont la lueur avant-coureuse n'avait fait que me visiter
de loin en loin pendant un instant, à savoir que Don
Juan était un monstre, qu'on ne peut désirer toutes les
créatures et qu'il ne suffit pas d'avoir une belle femme
dans son lit pour être heureux. La facilité écœure et ce
n'était pas la première fois que je subissais cet écœure-
ment. Mais chaque fois je m'en étonnais et selon ma
nature inquiète, nerveuse, disposée à tout noircir en elle,
cela me mettait chaque fois dans un complet état de
panique. L'égotiste paie d'un profond sentiment d'infé-
riorité et de la folie de la persécution ses jouissances
défendues.

Donc, je me demandais si je ne devenais pas impuis-
sant, dans cette chambre où quelques mois plus tôt
l'amour de Dora me jetait dans de si beaux transports.
Certes, je payais ainsi à Dora le crime de l'oublier comme
elle m'oubliait ; mais le souvenir de Dora ne m'avait pas
empêché de chercher et de trouver le plaisir depuis
qu'elle m'avait quitté. Seulement ç'avait été avec des
filles, avec de simples corps, de simples opacités tandis
que la comtesse était la première femme de qualité que

j'abordais depuis mon malheur : cela réveillait en moi des scrupules, des délicatesses, des exigences. La facilité d'une personne que j'aurais voulu difficile comme moi me rendait difficile, ou suscitait en moi le caprice de mettre des difficultés là où il n'y en avait pas, peut-être.

J'avais la bassesse de trouver facile une femme qui se donnait à moi sans les détours de l'hypocrisie.

Le temps passait et la comtesse prenait conscience de mon inertie. Je craignais fort ce moment, mais elle admit ma froideur avec la même aisance qu'elle avait reçu mon ardeur deux jours plus tôt. Elle s'accouda et se mit à me parler paisiblement avec sa belle voix profonde. Elle avait justement cette voix de contralto que j'aime et qui en général éveille en moi le désir physique, car elle me donne le sentiment immédiat de la profondeur de la femme.

Elle m'interrogeait un peu sur moi, sur ma vie. Les questions n'étaient pas trop extérieures et allaient assez vers le dedans des choses. Je répondais laconiquement, étant étreint par l'angoisse que me donnait la situation et pensant que nos relations étaient sans avenir. Il en résultait que c'était sa belle voix qui résonnait presque seule entre mes quatre murs ; je l'écoutais et peu à peu je me laissais aller à son charme, je me détendais et je m'en laissais pénétrer. Ce fort effluve ramenait en moi la virilité et, l'épiant doucement je savourais la venue du moment où j'allais rendre hommage à tout ce que je n'avais cessé de contempler et d'admirer, lorsque se soulevant davantage sur son coude la comtesse regarda l'heure à un bracelet et me dit tranquillement :

— Il va falloir que je m'en aille.

Aussitôt je fus de nouveau glacé. Je la laissais se rhabiller. Agité par la honte et la crainte, je parlais. J'essayais de justifier l'heure qui venait de se passer, en lui laissant entendre que mes sentiments avaient changé depuis l'autre fois.

— Comment ? demanda-t-elle avec anxiété.

Elle était encore à demi nue et sa belle main sèche arrêtait de hausser le chiffon de sa chemise sur l'un de ces seins admirables dont je m'étonnais maintenant qu'ils n'eussent pas explosé dans mes nerfs comme des bombes.

— L'autre fois, je ne pensais qu'au plaisir et non à vous que je ne connaissais pas, aujourd'hui quand vous êtes arrivée je vous connaissais et je n'ai plus pensé qu'à la peine que cela me vaudrait de vous connaître.

Elle avait eu peur que je ne lui dise tout autre chose. Elle se détendait et dans son regard l'attentive bonté devenait tendre gratitude.

— Pourquoi de la peine ? Parce que je vais partir ?

— Parce que quand vous êtes là c'est comme si vous étiez partie.

— Oui, je sais j'ai une vie si dure.

Maintenant elle était assise et tirait ses bas avec des mains lentes et lasses. Elle releva la tête et une résolution fit passer un peu de sang dans son masque impassible.

— Il faut que je sois à vous une journée entière.

Cette promesse me parut dérisoire, mais l'intention touchante.

— Samedi, je m'arrangerai pour aller avec vous à la campagne.

III

Nous avions décidé ou plutôt elle avait décidé d'aller à Fontainebleau. Je connaissais beaucoup de refuges autour de Paris, mais la plupart étaient trop éloignés ou trop rustiques. Je n'y avais jamais été que seul, car au fond j'avais eu peu d'aventures avec des filles libres, trop encombrantes, ne fréquentant par commodité que les putains de maisons closes ou des maisons de passe en dehors des femmes mariées. La comtesse choisit l'hôtel d'Angleterre à Fontainebleau, sans doute parce qu'elle y était allée déjà avec un autre homme et savait où elle allait. Cette détermination me déplaisait déjà et de plus je trouvais que cette auberge pour millionnaires n'était pas dans mes usages, non pas que je craignisse de dépenser trop d'argent, moins j'en avais et plus vite je le dévorais.

Sa voiture devait nous conduire là-bas. Je ne fus pas étonné de la contradiction qu'il y avait à cela, alors qu'en un autre moment elle m'avait dit que même à Paris elle tenait à respecter la dignité de son mari qui était à Vienne. Sans doute, son chauffeur hongrois ne considérait pas comme indigne qu'elle allât s'enfermer pour la nuit avec un homme dans un hôtel connu pour abriter ses bonnes fortunes.

Ce qui m'étonna le plus c'est qu'elle arriva à peu

près à l'heure pour me prendre chez moi. Il pleuvait à
torrents et comme la voiture, à ma surprise, était une
modeste Citroën, nous ressentions non pas l'intempérie
elle-même mais comme sa pression. Nous parlâmes assez
peu et assez difficilement. Je n'ai jamais aimé les mains
pressées, les tailles prises et les baisers de contrebande,
pensai-je, mais l'année d'avant je mangeais le visage de
Dora tout le temps que j'étais avec elle dans ma propre
Citroën, Citroën que j'avais vendue pour faire un voyage
à Florence deux mois plus tôt.

A l'hôtel d'Angleterre, sur la mine de la comtesse sans
doute, on nous donna la chambre royale, ce qui me
parut accablant. Il y avait là-dedans un fouillis de vieux
meubles et de gravures qui sans doute amusait l'étrangère ou lui rappelait les musées où en Allemagne, en
Autriche on ne craint pas d'accueillir les passants. Il
fallut commander le dîner : soit pour épargner ma
bourse, soit pour maintenir sa ligne, la comtesse exigea
un menu ridiculement maigre ; j'étais gêné à l'égard du
maître d'hôtel : c'était un de mes moindres travers de
petit bourgeois que de ressentir les sentiments supposés
des serviteurs.

Quand plus tard nous nous trouvâmes seuls, je
m'avouai que tout ce dérangement me paraissait superflu,
que nous aurions été beaucoup mieux à Paris chez moi
que dans ce capharnaüm prétentieux et mal chauffé, qu'il
n'y a rien de plus sinistre qu'un tête-à-tête avec une
femme sans conversation dans un hôtel de province et
qu'on n'a pas l'idée de faire l'amour dans les craquements d'un lit Louis-Philippe, sous prétexte que la
dame avec qui on le fait l'y a déjà fait avec quelque
prince.

J'avais encore moins l'idée de l'amour qu'à Paris, la
fois précédente. Mais cette fois-ci, je n'aurais pas
d'excuse aux yeux de ma bonne belle. Je ne pouvais plus
apprécier, sous cet édredon provincial, les proportions

de son corps grandiose, qui d'ailleurs, dans les conditions rêvées, chez moi, m'avaient laissé si froid. J'avais toujours le sentiment que la tranquillité où nous étions était factice, qu'à peine arrivés dans quelques heures il nous faudrait repartir. Il s'était décidément formé en moi un fond d'inquiétude, de mécontentement et d'indifférence. Mais, au moins chez moi, j'avais fait effort pour dans quelque mesure donner le change et j'avais su interrompre très tôt des caresses que n'animait aucun génie. Tandis que maintenant, me disant que j'étais au pied du mur, je me disais qu'il fallait à toute force accomplir ce qu'on attendait de moi. Mais il n'est rien qui se commande moins, et surtout devant une femme du monde qui peut avoir tous les travers d'une putain sans en avoir aucun des avantages. La comtesse n'était putain d'aucune manière. Il en résulta qu'après m'être empêtré longuement, interminablement dans diverses approches et simagrées, je plantai là soudain tout ce faux semblant et déclarai que je mourais de sommeil.

Cela était vrai aussi : je n'avais plus l'habitude de passer la nuit avec une femme depuis longtemps. Pourtant, les quelques fois où cela avait pu m'arriver avec Dora, j'avais été un bienheureux. J'avais pris l'habitude, qu'ont beaucoup de célibataires, de faire l'amour dans la journée et de réserver la nuit à la lecture et au sommeil.

La belle comtesse commençait à me considérer avec une curiosité assez particulière, une sorte d'amusement où, par suite de sa grande politesse ou de sa grande bonté, il n'y avait pourtant aucune malveillance. Une résignation triste ajoutait une touche de légère mortification à sa pâleur.

Soudain, elle me tutoya comme elle aurait fait avec un homme qui ce soir-là serait devenu son amant.

— Tu ne m'aimes pas. Je ne demande pas que tu m'aimes : je ne crois pas à l'amour. Mais tu n'aimes pas ma vie ; je comprends cela, moi-même je ne l'aime guère. Mais on ne peut changer sa vie.

Elle dit cela lentement, la tête renversée entre les deux oreillers, rêvant entre chaque mot.

Qui est-elle, après tout, me demandais-je, je ne sais rien d'elle. Chaque fois que je rencontrais une femme, je prétendais ne rien vouloir apprendre sur elle, la goûter telle quelle, ne pas altérer la saveur du présent par toutes ces imaginations qui ne prennent dans le passé que des poisons et des drogues mensongèrement excitantes. Mais je ne m'en tenais jamais à ce calcul trop fin. Cette fois-ci encore, je commençais à l'interroger.

Pour une fois, l'histoire était assez étrange. Très jeune, elle avait été désirée. Tous les hommes de son milieu à Budapest, les jeunes et les vieux, ceux qui étaient libres et ceux qui étaient mariés, essayaient de s'emparer d'elle d'une manière ou d'une autre. Les plus pressants étaient deux frères qui profitaient d'un voisinage à la campagne et d'une certaine parenté. Ils étaient beaux, tous les deux, et assez semblables. Son propre émoi errait de l'un à l'autre. Le cadet, qui était plus impérieux, lui avait arraché des baisers, des caresses : elle s'était promise à lui comme fiancée. Ils étaient du même rang, mais ni lui ni elle n'avaient beaucoup d'argent et, certes, les parents de l'un et de l'autre voulaient qu'ils en gagnassent, selon la loi, par leur mariage. On disait donc qu'ils étaient beaucoup trop jeunes et singulièrement fous.

Les deux frères étaient officiers. Le demi-fiancé fut changé de garnison et envoyé à Dehlizen. Il en fut fort malheureux et fort agité et fit faire à Edwige les promesses les plus sérieuses. Mais l'aîné se mit en tête de profiter de la circonstance. Il y réussit très bien, car après une assez longue et prudente attente, il parvint une nuit, au retour d'un bal, à prendre la bouche d'Edwige. Or Edwige soudain préféra ce baiser à celui de son fiancé : elle fut prise d'une violente passion physique pour l'aîné tandis qu'elle gardait la dévotion sentimentale qui l'avait attachée au cadet. Elle se donna à l'aîné.

Elle se donna plusieurs fois à lui, dans la garçonnière d'un camarade. Ce camarade fut mordu par le désir. C'était un officier pauvre et de petite extraction qui n'espérait guère d'occasions comme celle-ci et qui ne put se résigner à la voir passer. Un jour que l'amant ne pouvait venir, il se présenta et exigea le paiement de son hospitalité. Elle le repoussa.

Quelque temps après comme elle était nue dans les bras de son amant, une porte vitrée qui donnait sur l'alcôve s'entrouvrit et cogna violemment contre le lit qui l'empêchait de s'ouvrir tout à fait. Le cadet, prévenu par le traître et venu sans permission, était là.

Les deux frères se battirent à coups de poing. Enfin, le cadet s'en alla, après avoir giflé Edwige. Après cela, l'aîné qui était assouvi et qui, somme toute, ne voulait pas plus, bien au contraire, la laissa. Un peu plus tard, il devait se marier avec une Américaine. Edwige était enceinte.

Le cadet, Antoine Fahvésy, revint vers elle, pour lui faire des scènes atroces. Sans rien dire, elle fit passer l'enfant. Il lui pardonna et demanda sa main, ce qui fut accordé avec une soudaine facilité. Mais, le soir des noces, au moment de la prendre, le regret et la jalousie vinrent brusquement à la traverse et il se mit à la battre comme un fou. Il la tua à demi et abusa d'elle comme d'un cadavre.

Dès lors, chaque fois qu'il la voyait nue, elle lui semblait dans les bras de l'autre et il était repris de son envie de frapper. Ils prirent tous deux un goût triste et pervers pour ces coups. Elle fut enceinte et cela le calma, à peu près. Elle eut un fils. Lui était décidément changé et ils étaient à demi heureux. Mais il eut un accident de chasse qui le rendit aveugle.

Ainsi elle se trouvait à moins de vingt-cinq ans attachée à un homme qu'elle n'aimait pas et qui réclamait
tous ses soins. La pitié, le sentiment de l'honneur la
rivèrent à lui et le manque d'argent à sa belle-famille.
Pourtant elle était belle, d'une beauté si forte et si pâle
et presque veuve. Elle s'était donnée à plusieurs des
hommes qui la courtisaient. Elle n'attendait et ne recevait pas beaucoup d'eux.

Je commençai, au cours de ce récit, à faire attention à
cette femme. Jusque-là sa beauté me l'avait masquée.
Certes, j'en avais déjà souvent fait l'expérience, la beauté
ne me paraissait facilement maniable que chez les
putains. Chez elles, la beauté ne me faisait pas peur,
c'était comme la qualité d'un objet usuel qui ne serait
pas de camelote et dont le contact vous donne un plaisir
chaud, un attendrissement familier. Aussitôt que la
beauté m'apparaissait chez une personne dont l'éducation pouvait me faire admettre la supposition qu'elle eût
une âme, je me troublais. C'était ce qui était arrivé avec
cette comtesse. Pouvant espérer qu'elle eût une âme, je
craignais qu'elle n'en eût pas ; je la soupçonnais de
n'en pas avoir alors qu'elle devait en avoir une. Et ne
croyez pas que j'ignorais que les putains eussent souvent
des profondeurs, mais la rapidité voulue de mes relations
avec elles me permettait le plus souvent de n'y pas
atteindre. Pourtant, cela m'est arrivé deux ou trois fois,
de me laisser prendre plus d'un moment au piège de
ces profondeurs.

Je prenais depuis quelque temps l'horreur du romantisme intime, aussi je ne voulais rien exagérer de ce que
je soupçonnais en elle maintenant et qui était du bien,
mais enfin je pensais qu'elle avait un peu souffert, mais
à la manière des êtres incultes qui n'ont pas de mots
pour préciser, aviver et rendre précieuse leur souffrance.
Cette femme du monde était aussi inculte que les filles
de joie, elle était inculte en plusieurs langues voilà tout.

La sympathie me venait où la pitié et l'admiration étonnées de se rencontrer ne savaient comment faire bon ménage. Je la pris doucement dans mes bras ; comme elle finissait par se taire je me rappelais que j'avais eu sommeil. Elle, éreintée comme d'habitude, s'endormit brusquement.

La rigoureuse simplicité, l'innocente crudité avec lesquelles elle s'avouait, j'y voyais les preuves de la seule pudeur véritable, celle qui résiste à la vie dévêtissante et dénudante. Or la pudeur est la palpitation même de l'âme. Donc, elle avait une âme. C'était bien parce qu'elle avait une âme que selon mon habitude je m'étais désorienté devant elle.

IV

Nous nous réveillâmes très tard, le lendemain matin. Je repris conscience le premier et à la faveur d'un filet de lumière, je me livrai au plaisir terrible de contempler une femme endormie. Fallait-il comparer ce sommeil à la mort ? Il avait certes quelques-unes de ses puissances de dévastation et d'anéantissement. Après douze heures de sommeil la fatigue semblait écraser la comtesse comme au premier moment. Mais quand on a vu la mort on ne peut rien lui comparer. La beauté de cette femme se montrait plus nue que jamais, débarrassée la veille au soir du « fond de teint » (ses joues n'étaient jamais souillées de « rouge »), à la lame froide de lumière hivernale qui l'atteignait comme celle d'un scalpel elle opposait son indestructible profondeur. Livide, ce visage, à cause de son admirable construction, semblait plus sain qu'aucun autre. Du moins à mes yeux, car pour moi la seule santé qui compte est dans les os, dans le fondement de l'être. Que m'importe un visage rose, si par-dessous la charpente est tordue par ces métissages de significations où se perdent les races.

Elle avait aussi rejeté les draps et dans un large mouvement qui semblait, quoique figé, une protestation contre ma froideur de la veille, elle exposait ses deux seins. La structure de sa chair était comme la structure de ses os, de la même solidité légère, de la substance

aérienne des oiseaux. Profondément séparé de l'autre,
comme divergent à force de relief, fortement cramponné
par son long socle à tout un côté du large thorax, chacun
était par rapport à l'autre une affolante merveille d'auto-
nomie et de synarchie. Large à sa base et surplombant
presque, il saillait en se resserrant, puis se recourbait
légèrement vers le haut comme la proue d'une gondole.
Le mamelon terminal était frappé comme une médaille
où par vertu d'orgueil une princesse magicienne n'aurait
pas mis son visage mais seulement un signe imperceptible, un disque fruste dans le pâle or vierge, tracé pour
la réminiscence extatique de ses adeptes. Ces deux
coquilles de chair étaient du teint qu'avait dû avoir le
visage avant d'être émacié par les innombrables travaux
de l'oisiveté : non pas de lait mais de crème, non pas
de crème mais d'une sorte de sorbet divin façonné sur
une montagne de dieux et où auraient été broyés le suc
de la rose-thé, le caramel, des grains de café, tout cela
dans le reflet doux d'une flamme de bougie. Le sang était
enfoui et il n'y avait pas de veines apparentes.

J'étais entré dans la plus sérieuse méditation, dans
l'adoration et le désir montait du fond de mon être, du
fond de mon esprit. Il ne s'agissait point du cœur ni des
sens. Je me rapprochai d'elle très lentement et avec de
parfaites précautions je l'enveloppai. Cependant, elle ne
se réveillait pas. Du moins, ses yeux ne s'ouvraient pas.
Mais peu à peu un très lointain et très muet ébranlement
se propageait dans les limbes de son inertie et de son
immobilité et une vaste complicité ouvrait insensible-
ment ses membres. Je calculais avec une certitude supé-
rieure que la joie serait en elle avant la conscience.

Brusquement, le téléphone résonna dans la chambre.
Tout était fichu. Elle se réveilla avec une expression
d'alarme mesquine, d'affairement idiot. La haine me
rejeta loin d'elle.

— Je vous demande pardon, bredouilla-t-elle, j'avais

donné le numéro de l'hôtel à cause d'une communication urgente.

Sa voix était pâteuse et si elle avait pu être laide elle l'aurait été. Je haussai les épaules, me levai d'un bond et allai m'enfermer dans la salle de bains.

Quand elle eut téléphoné, elle avait compris que le charme était rompu et sans doute avait-elle mieux compris aussi comment il avait pu se rompre auparavant. Nous prîmes le petit déjeuner sans beaucoup de paroles et comme un pâle soleil touchait nos fenêtres, je lui proposai d'aller dans la forêt.

Elle s'habilla avec une rapidité qui m'étonna pour une personne d'ordinaire asservie à une femme de chambre. Et nous sortîmes.

J'ai une passion exclusive pour les forêts que je préfère à la mer et surtout à la montagne. Nous nous fîmes conduire dans une partie reculée où dans ce mois de janvier il n'y avait pas figure humaine et je me livrai peu à peu à mon plaisir. Elle semblait heureuse de me voir sans grand souci et se laissa prendre un peu au charme grave des arbres dépouillés par une mort passagère et devenus les colonnes d'un temple où circulait une histoire calme comme la nôtre.

Mais l'air était vif et entrait en moi. Cela transmua la tristesse qui n'était pas âpre en une joie peu à peu expansive. Ses belles joues pâles se fonçaient et je lui jetais des regards nouveaux. La nature me délivre toujours promptement de tout ce qu'il y a d'étroitement social dans les plissements de mon moi et la belle santé dont j'ai toujours joui remontait irrésistiblement. Je regardais marcher à côté de moi une femme qui s'oubliait aussi. Parce que nous nous oubliions l'un et l'autre, l'union devenait possible. La société, qui n'est pourtant qu'un aspect de la nature, remontait et se perdait dans sa source et avec elle nous tombâmes sur la mousse.

Pendant que je prenais enfin sérieuse possession d'elle, elle me regardait avec son attention singulière et elle épiait dans mes yeux ce signe qu'elle avait si peu cherché, semblait-il, lorsque je l'avais prise la première fois, de vulgaire façon mais qu'ensuite elle avait attendu, et dont aussi elle aurait pu se passer avec sa forte résignation.

Elle vit le signe, mais elle était majestueusement placide dans le contentement comme dans la pénurie et elle remit de l'ordre dans ses vêtements du même air qu'elle s'était habillée dans ma chambre. La mélancolie reparaissait et elle me dit :

— Je quitterai Paris à la fin de la semaine.

Cela ne dérangea pas mon propre contentement qui était pénétré de douceur et, la prenant par le bras, je la ramenai à son chauffeur qui nourrissait pour elle un vrai respect et fut donc touché de son imperceptible joie. Nous allâmes tous trois déjeuner dans une petite auberge de connaissance.

V

Dans les derniers jours qu'Edwige passa à Paris, nous nous vîmes un peu plus. Mais plutôt que de me voir seul, elle eut la faiblesse de me montrer à ses amis. En cela, les femmes sont comme les hommes et montrent un sentiment qui ressemble beaucoup à notre fatuité. Moi, je n'en manquais pas, mais le peu de goût que j'avais pour le monde la rendait intérieure ou la bornait aux confidences faites à de vieux amis. C'est ce que remarqua Edwige qui me dit : « Vous êtes bien le premier homme qui ne songe pas à me montrer aux autres. » C'était aussi que je trouvais quelque chose de faux dans l'apparîment d'une femme si élégante et de moi qui pour n'être pas rustre, n'avait pourtant pas le front ni l'envie de donner le change et de jouer les gigolos de haute volée. Et je m'étais lassé auprès de Dora de tous ces défis lancés par les couples irréguliers et boiteux à la rongeante malveillance de la foule. Je n'étais pas disposé à faire à celle-ci les concessions et les cajoleries qui lui font un peu rentrer langue et dents. D'autre part, je revenais à mon ancien mécontentement et supputais que la comtesse me faisait rencontrer de ses amis pour gagner du temps et faire d'une pierre deux coups.

Elle me fit dîner avec lady Whyky qui était une jeune Américaine mariée en Angleterre et vivant beaucoup en

France. Lady Whyky avait l'œil vif et comme elle me connaissait, elle lança à Edwige : « Il est diablement intellectuel, tenez-vous bien. » Et à moi : « Les hommes comme vous avec une femme pareille deviennent bêtes ou méchants. » Elle-même était la maîtresse d'un des meilleurs écrivains que l'Irlande ait donné aux Anglais et avait été fort maltraitée par ce vieux galant irascible, mais sa peau fine et blanche de beauté juive ne craignait pas les coups. Nous étions chez Maxim et cet endroit où j'avais tant aimé me saouler seul ou avec quelques camarades me déplaisait dès que je n'y étais plus spectateur, mais acteur. Je dansai avec Edwige et le fait que je dansais mal, sans aucun instinct du rythme, n'était pas la meilleure raison qui me faisait fuir le monde.

Nous déjeunâmes aussi ensemble chez Paul Perrin, l'héritier de la Banque Perrin, le célèbre avorton qui était plus envieux qu'une vieille chaisière et qui ne manqua pas de glisser : « Avez-vous remarqué la pâleur de votre belle amie ? Méfiez-vous. Elle ramenait le soir chez elle des chauffeurs de taxi quand elle habitait à Londres avec Dorothy Mac Millan. »

Tout cela ne me touchait guère mais me trouvait très fatigué, car au temps de Dora j'avais encaissé une quantité énorme de cette fausse monnaie.

Je me consolai aisément deux ou trois fois en recevant Edwige chez moi où, en dépit de sa hâte, je tâchai d'arrêter le temps et d'entrer dans la contemplation de ce corps qui ne se laissait qu'entrevoir. Les femmes se plaignent de la brusquerie des hommes, mais quand elles rencontrent un homme qui a le sens des dévotions de l'amour, elles n'ont jamais de temps à lui donner. Du moins en est-il ainsi de ce genre de femmes. Je souffrais comme un homme qui aurait voulu admirer une statue dans le calme d'un musée et, par un effet de cauchemar, ne pourrait l'approcher que dans le tumulte d'un grand magasin. Par bonheur, ma mémoire m'apportait son secours fallacieux et, seul, pouvais-je encore goûter de quelque manière cette peau de lait brûlée, cette grande coulée teinte de caramel, légèrement teinte de caramel.

Je pensais que je ne reverrais jamais Edwige après son départ et cela ne faisait qu'ajouter peu de chose à l'immense désenchantement où je m'enchantais doucement depuis le départ de Dora. Mais, si elle ne songeait nullement à se soustraire à ses servitudes, du moins complotait-elle de m'y faire entrer.

Elle m'expliqua qu'elle allait retourner à Budapest pour y prendre son mari et l'amener ensuite sur la Côte d'Azur pour le soumettre à un traitement qui devait atténuer sa cécité.

— Pourquoi ne viendriez-vous pas me rejoindre là ? Vos occupations vous en empêcheront-elles ?

Elle attendait ma réponse avec cette anxiété dont je connaissais le sens maintenant. Sous son air résigné et indifférent, elle était ambitieuse et souhaitait obtenir de moi de ces marques d'amour qui ne trompent pas.

J'ai été toute ma vie une sorte de Maître Jacques et dans ce temps-là je feignais de travailler pour le cinéma, encore muet : j'ai toujours été habile à gagner ma vie mais non pas à gagner de l'argent, car je n'ai jamais eu que peu d'heures à sacrifier à ce souci-là. Je hochai la tête et lui fis une vague promesse. Je comptais bien ne pas bouger de Paris, ou plutôt me rendre à Londres dont je ne puis me passer longtemps ; et j'avais horreur de la Côte d'Azur.

Dès le lendemain de son départ, je l'oubliai presque. C'est-à-dire que je ne pensais à elle que cinq ou six fois par jour. Pour moi c'était oublier, car quelques mois plus tôt il n'y avait pas d'heure qui ne fût pour Dora un nouveau cadre et n'allongeât la suite interminable de ses portraits qui garnissaient les galeries de ma mémoire. Maintenant ce n'était pas le visage de Dora qui revenait aux yeux de mon âme mais seulement dans ma bouche

la saveur écœurante du malheur : Je me retrouvais dans
ma solitude. Cette solitude que j'avais tant aimée déjà
dans ma vie était encore gâtée par l'idée que quelques
mois plus tôt elle était reparue non de mon fait mais du
fait de Dora me quittant.

J'aimais d'une dilection sauvage et éternelle ma solitude ; mais le départ d'Edwige pour la Hongrie après
celui de Dora pour l'Amérique achevait de me désoler
le cœur comme un signe superficiel qui vient s'ajouter
à un signe profond. C'était ainsi qu'à la sortie d'un cimetière où j'avais accompagné la semblance d'un ami, il
me suffit de perdre une canne à laquelle je ne tenais pas
beaucoup pour finir de me ruiner le cœur. Ma solitude
sur laquelle mouraient si vite les feuilles me paraissait
un arbre mort.

Mes mouvements vers Edwige étaient ceux de la gratitude, gratitude pour tant de beauté, de bonté, de simplicité princière. Somme toute, j'avais bien fait de
m'approcher d'une princesse, puisqu'elle méritait ce
titre. Mais sans doute n'étais-je resté plus d'un instant
auprès d'elle qu'à cause du caractère d'exception qui
marquait son front pâle et qui lui composait une cou-
ronne d'un autre métal que celui des cours. Qui sait ?
Les exceptions tiennent à la règle qu'elles contrarient.

Quelque chose m'avait beaucoup choqué dans mes
relations avec Edwige, c'était ma pauvreté. Je ne manquais pas d'argent et mes dépenses avaient été toujours
métaphysiquement disproportionnées avec mes ressources, mais avec elle ma prodigalité qui s'épanchait
dans un cercle si étroit me semblait prendre l'aspect
d'un simulacre enfantin. C'était qu'aussi mon incapacité financière sous des dehors de brillante fantaisie,
d'improvisations sans défaut, avait été la cause secrète
du grand échec, dont je savais bien qu'il restait central
dans ma vie, avec Dora.

Pour la dixième fois dans ma vie, et cette dizaine devait

être suivie d'une autre dizaine, je songeai au mariage. J'avais un ami juif que j'ai beaucoup aimé bien que tout de lui me navrât le cœur, jusqu'à ce goût exquis qu'il avait pour les tristes meubles rectilignes et nus. Il n'aimait pas les femmes et il avait horreur de la guerre. D'ailleurs dépensier et fort mal ménager de ses intérêts, comme ne le sont pas tous les Aryens ; mais quand même trop précis et trop cru dans les supputations d'argent qu'engendrait son désordre. Tout ce qui impose un type sur un individu et le classe inexorablement dans une race ou dans une caste, m'a toujours émerveillé et scandalisé. C'est pourquoi un Français m'a toujours agacé autant qu'un juif, mais ce juif plus que le Français parce qu'il prétendait échapper les trois quarts du temps à la fatalité de sa dénomination — et le Français plus que l'Allemand et l'Anglais parce que c'était moi qui étais menacé d'être inserré dans la même caque étiquetée comme une boîte de conserve.

Donc, ce petit juif — il était petit, de plus disgrâcié, mais un autre juif de mes amis était grand et ne me gênait pas moins — me propose d'épouser une de ses « coréligionnaires » qui était vierge, jolie et assez riche. Chaque fois que ma vie se perdait dans le vague, un juif m'offrait une juive. Et le grand juif m'avait offert ainsi sa sœur qui était belle et que j'ai regrettée toute ma vie, bien que je fusse sûr que je me serais ennuyé avec elle jusqu'au crime, car elle était de ces juifs riches qui par mimétisme ont pris la jouissance d'ennui des gens du monde. Et d'ailleurs tous les juifs ont quelque chose d'ennuyeux qui tient à ce qu'ils sont coupés de la gaîté de la nature et que leur frénésie de vivre a quelque chose en même temps de hagard et de convenu.

Donc, je m'en fus dans le quartier de l'avenue du Bois voir cette jeune personne au fond d'un immeuble ancien et même vétuste. Et je la trouvai fort jolie et fort plaisante.

D'abord elle avait un défaut. J'ai besoin de voir saillir un défaut au milieu de l'avenance générale. Sans quoi sans contraste elle est monotone. C'est ainsi que dans la troupe de mes fiancées juives j'ai aimé un instant en 1926 la Sud-Africaine, riche en diamants, parce qu'elle boitait. Après le départ d'Edwige, je me plus soudain à celle-ci parce qu'elle avait les dents en avant. Cela me distrayait de la perfection d'Edwige.

Cette Marianne avait un corps souple et assez élancé. Grâce à la bonne hygiène dont avait joui sans doute sa famille depuis deux ou trois générations, grâce à l'éducation gymnique et rythmique qu'elle avait suivie, elle semblait presque dépourvue de ces défauts qui caractérisent d'habitude les juives : elle n'avait pas la nuque bossue, le bassin trop large et à demi renversé en avant, les cuisses séparées, la démarche cassée. Si tout cela subsistait en puissance chez elle, c'était fondu pour le moment dans l'élan gracieux d'un jeune corps bien exercé. Ce spectacle agréable me confirmait dans l'idée que beaucoup d'inconvénients qu'on considère comme innés chez les juifs ne le sont, mais sont dus seulement à la vie sédentaire et malsaine qu'ils ont menée pendant des siècles dans les ghettos. Mais pourquoi aussi ne sont-ils pas restés sur le sol de leur patrie ? Ou ne sont-ils pas morts en le défendant ?

Le visage de Marianne était aquilin, sans plus, et ne rappelait son origine que par quelque chose d'un peu trop roide et accentué dans l'ossature. Du reste, j'appris par la suite qu'elle avait du sang de séphardim. Elle avait un teint brun, mais d'un brun chaud et doré qui séduisait comme un exotisme discret.

Les parents étaient des bourgeois qui se guindaient sans atteindre à un bien grand ridicule, leur banalité était modérément convulsive.

J'avais déjà inspecté plusieurs de ces familles juives, et j'aurais pu remarquer au point d'en être écœuré à quel point les circonstances de ma vie repassaient par les fils du même canevas. Mais j'étais encore assez jeune : j'avais trente-deux ans ; je n'étais pas trop esclave de ma mémoire et le désir m'ayant renouvelé m'empêchait de voir ce qui plus tard s'imposa, à savoir que le destin et ses monotonies n'est rien d'autre que la manie où s'enlise peu à peu la liberté. On retrouve toujours les mêmes circonstances parce que, d'abord sans le savoir, on en est le collectionneur éperdu.

J'eus un premier mouvement qui sembla me porter assez fort vers Marianne. Ces comédies bourgeoises de présentation mettaient en moi une sorte d'excitation, elles me rappelaient les rites qui m'étaient familiers et agréables de la prostitution. J'entrais dans un salon où une mère et un père m'offraient leur fille comme dans le salon d'une maison close. Par malheur, je n'avais guère le goût des mineures.

Au fond, je n'ai jamais aimé le moins du monde les jeunes filles. Elles montrent dans une évidence trop certaine la sottise de la femme, tandis que l'expérience donne aux femmes faites mille moyens de se dissimuler et de donner le change. Marianne avait une épouvantable bonne volonté à l'égard des choses de l'esprit. Elle avait jeté son dévolu sur la peinture et reproduisait des tableaux cubistes avec une candeur qui désarmait le diable et transformait ses pires intentions en anodines platitudes.

Je souris d'abord avec attendrissement. Je ne voyais d'abord en elle qu'un corps aimable, à séduire comme tout autre corps. Mais le voyais-je bien ? Je n'ai jamais pu regarder de très près le corps d'une jeune fille, d'une fiancée parce que c'était pour moi avant tout une figure morale, en qui s'incarnait uniquement le mythe du bonheur. Mais ce mythe je l'avais reçu avec les autres conventions qui m'avaient été versées dans mon enfance. Pendant vingt ans j'ai voulu me marier parce que j'avais rêvé, encore presque bébé, à un bonheur de jeune marié qui était plutôt un bonheur de premier communiant.

Il est certain que l'idée de présentation en vue d'un mariage ameute chez n'importe qui, les juifs ou les aryens, les autres ou moi, une quantité énorme de sentiments. On pense en même temps à des choses aussi différentes que la joie, le bonheur, le plaisir — l'union des âmes et l'union des corps — la considération et la vie sacramentelle — le luxe, le confort, les boutons recousus. C'est une des plus belles occasions pour l'humanité de battre le rappel de ses idées les plus hautes et les plus basses, et de prouver qu'il n'y a pas d'idées hautes et d'idées basses, mais des idées toutes également nécessaires : il est bien évident que le mariage ne peut être une opération moins économique que sexuelle, moins sociale que spirituelle.

Il y a quelque chose de très charmant chez une jeune juive, cette fraîcheur de la jeunesse dans les races où la flétrissure est si rapide, ce caractère légèrement exotique tout emmêlé à des traits du pays où il se produit, tout ce qu'on sent se perdre de l'Orient ou de l'Afrique ou hélas se déformer avant de se perdre. Et puis, cette idée que les aryens se font des juifs : il est piquant de prêter à une adolescente les richesses et les crimes de l'Orient, les intentions malignes et impériales, les maléfices, l'éternelle vengeance, l'ancien pouvoir sacerdotal transformé en pouvoir révolutionnaire — tout cela chez une petite fille du XVIe arrondissement. Elle en profite, et elle en pâtira.

Il y avait chez cette Marianne cette déplorable bonne volonté à tout avaler dans l'univers qui chez le juif consterne l'aryen et le met en déroute. Marianne se jetait sur la littérature, la musique, la peinture comme la misère sur le pauvre monde, et il est vrai que c'était une ancienne misère. Elle avait jeté pourtant un dévolu sur la peinture et elle essayait sur la toile des arrangements entre tout ce qu'il était impossible de ne pas imiter et le très mince petit besoin que formait son âme de s'exprimer picturalement et de s'enchaîner à une expression picturale. Il y avait peu de chances que la vie de Marianne devînt douloureuse comme celle de Rembrandt ou de Cézanne : elle le savait et cela lui avait donné un ou deux chagrins d'enfant.

Ce qui était terrible pour moi, c'était que toutes les velléités de Marianne étaient doublées, mises en évidence, accusées par les velléités toutes pareilles du frère qu'elle avait. Cet Antoine Talagran était délicat, et somme toute plus délicat que Marianne, car dans les choses de l'esprit un homme à délicatesse à peu près égale, est toujours plus délicat qu'une femme, mais il avait l'inconvénient de déceler et de dénoncer sa sœur. Et puis, quel ennui quand on vient à peine de sortir des mariages de la jeunesse comme c'était mon cas, d'y retomber.

Je vis Marianne deux ou trois fois, avec ou sans son frère, et la douce émotion que m'avaient communiquée son très joli visage persan et son escarcelle se dissipa. Je craignis l'ennui, la mesquinerie, toutes sortes de fantômes. Edwige était partie, c'était son image ou celle de Dora qui me décourageait, mais je craignais beaucoup d'appuyer à mon bras le poids de cette jeune bourgeoise dont je soupçonnais qu'il irait s'alourdissant au lieu de s'alléger. Doutant judicieusement de moi, je craignais que les faiblesses de Marianne ne l'emportassent sur mes forces. La faiblesse a un pouvoir infini sur la force et celle-ci ne vient jamais à bout de celle-là, du moins quand elle est mariée avec elle : on voit cela dans tous les ménages. Quel est l'homme fort qui ne laisse pas ses os dans le cercueil capitonné que lui bâtit sa femme ? Ce n'est rien de coucher avec une femme, et au contraire c'est dans l'étreinte que l'homme se délivre et assure son pouvoir. Mais causer tous les jours avec une femme, sans cesse réduire ce qu'on pense à ce qu'il faut lui dire, à ce qu'elle peut entendre. Il est vrai que j'ai connu des hommes qui se défendaient à grands coups, qui ne laissaient pas parler leur femme ou qui ne l'écoutaient pas, et qui parlaient à pleine gorge, qui hurlaient, qui posaient à l'encontre de toutes les atténuations et de toutes les usures, de toutes les tendres ironies et de toutes les pieuses incrédulités dont une femme entoure et circonvient l'homme le plus aimé, le plus admiré, le plus respecté, leur personnage dans toute son opacité et dans toute sa rudesse, avec ses arêtes les plus tranchantes ; mais justement cette figure de défi était faussée comme celle qui était évitée, de renoncement et d'abandon. Ce n'était que leur personnage, la caricature de leur personne. J'ai connu un peintre qui, pourvu de la maîtresse servante la plus compréhensive et la plus magnanime, mais effrayé depuis toujours par cet enveloppement serein était arrivé à faire de lui-même dans son foyer un monstre de brutalité et de cynisme. De l'ange qui est dans tout homme il avait fait un sombre archange, un démon immense et déplorable. Tout cela sans bruit, sans éclat et dans la plus grande paix apparente.

La première fois, j'avais vu Marianne avec sa mère et son frère, la seconde fois avec son père en plus. Des oncles et des tantes attendaient dans l'ombre. J'avais tenu bon, mais sans doute de légères fêlures s'étaient montrées sur mon masque, car son frère me téléphona et me proposa de la rencontrer seule un matin, à l'insu des parents. Je me prêtais avec une grande patience à cette douce comédie et me voilà me promenant à Montmartre du côté où était l'atelier du peintre qui sans vergogne mais moyennant quelque finance lui apprenait les rudiments du cubisme. Elle était charmante cette Marianne avec ses cheveux d'un noir si pur, sa peau si douce, à jamais protégée des rides, sa taille ronde, ses jeunes seins comme les chevreaux fameux de sa chanson natale. Et elle m'offrait des yeux comme l'eau de deux

citernes jumelles où se conservait l'eau de pluie la moins
polluée, la rosée la plus impeccable. A tomber dedans.
A tomber dedans, mais je n'aimais pas tomber. Et pourtant une telle chute était bien tentante, après l'effroyable
casse-gueule qu'avait été la rencontre avec Dora, cette
terrible putain, mariée dans la diplomatie, mère de
famille, américaine de Boston, forte de dix générations
de puritains ivrognes mais vertueux, indestructible,
inaccessible dans un adultère comme dans une partie de
bridge. La petite juive, elle s'offrait à tous les ravages,
certainement sans aucune réserve, sans aucune réticence.
Car il faut bien dire qu'à l'occasion, quand les juifs sont
délivrés de l'obsession de l'argent, ils se donnent fort
bien. Je me promenais donc dans de vagues rues de
novembre, avec cette jeune victime possible qui sans
cesse haussait vers moi de touchants yeux d'abattoir.
J'avais du sang sur les mains, j'avais déjà souvent manié
le couteau et le maillet, j'en avais tué plus d'une, juive
ou pas juive. Il y avait eu d'effroyables ébrouements
dans ma vie. Allais-je frapper celle-ci encore ? Pourrais-je cette fois-ci glisser dans le sang, me coucher à
jamais dans le sang, comme je l'avais parfois rêvé,
comme je feignais de le rêver encore.

Je l'écoutais parler de tout et de rien, cherchant ses
mots, craignant de m'effaroucher par sa banalité de jeune
fille, à qui l'argent a tout appris et a tout interdit et
qui se débattait dans la convention où je la laissais : un
jeune bourgeois et une jeune bourgeoise qui se promènent, fiancés, mais qui sont des artistes peut-être. Je
la laissais dans sa convention se débattre, étouffer : je
la regardais d'un œil terriblement chaste. Pas un geste
ne me venait, pas un seul de ces gestes qui aussitôt aurait
rompu le mensonge. Il aurait suffi que je la prenne
dans mes bras, dans les bras qui avaient enlevé Dora,
qui n'avaient pas vaincu Dora, mais qui auraient pu la
vaincre, elle, si aisément. Ces bras qui, quand même,

avaient bouleversé la vie de Dora, car enfin la garce, car
enfin, la famille de Boston, la fortune puritaine, le mari
diplomate, les petites filles, tout cela avait été salement
secoué par l'aventure parisienne... Et si j'avais voulu,
si j'avais vraiment voulu. Mais voilà, je n'avais pas
voulu, je n'avais pas voulu du bonheur, j'avais préféré
le malheur, le délicieux malheur dans lequel ma sauvage
solitude se roulait depuis huit mois.

Et j'allais sacrifier cette solitude : je lui ferais payer
cher à cette petite ma solitude perdue.

Je ne pensais guère à Edwige. Pourtant, la haute, l'impassible, l'inhumaine stature d'Edwige n'était-elle pas
là ? Ne représentait-elle pas la vraie fatalité de ma vie, de
vagabond, de rôdeur, voué aux statues dans les parcs ?

Quand je vins voir Marianne le lendemain dans sa
famille, elle était seule. Toutes les portes se refermaient
doucement sur nous pour nous laisser seuls. Au milieu
du grand salon vide, une petite table à thé près d'un
divan assurait le tête-à-tête et sans doute des effusions
assez risquées pour être définitives. J'entre très facilement dans les personnages qu'on m'offre au vestiaire,
quitte à en sortir aussi vite que j'y suis entré. Dans ce
salon, je fus aussitôt abruti. Si j'avais eu un chapeau
entre les doigts, je l'aurais tourné indéfiniment ; j'offrais
un regard niais à Marianne qui s'en réjouit glorieuse-
ment et en déduisit que tout était consommé. D'ailleurs,
elle le croyait auparavant, car à ce que je compris à
demi-mot, on avait tenu conseil dans la famille et on
avait décidé de *m'accepter*. J'avais, hélas, assez bien
joué la comédie de la patience et de la modestie pour
que mon acquiescement allât de soi.

Nous commençâmes à faire du thé et à manger des
tartelettes en goûtant surtout l'un et l'autre notre distraction. Pour la première fois, j'étais troublé dans mes
sens auprès de Marianne : tout cet apparat de mystère
convenu pouvait, je l'ai déjà dit, me rappeler la maison

de passe. J'en connaissais une dans un quartier de luxe
où la « maîtresse de maison », gravement pénétrée de
l'effet qu'elle produisait sur ses clients, vous ménageait
des entrevues graduées avec des vierges difficiles, de
jeunes mariées effarouchées, des premières communiantes
aveugles, sourdes et muettes (« la pauvre petite croit que
sa mère l'a amenée chez le docteur »). Il me semblait
entrer dans un rite de prostitution sacrée. Je commençais
à détailler les charmes de Marianne, ce qu'on ne m'avait
jamais laissé le temps de faire : elle avait le nez aquilin,
plutôt que bulbeux, le menton ne deviendrait progna-
tique que sur le tard, le très tard, le cou était assez
dégagé des épaules : tout cela faisait une sorte de beauté
italienne. Juifs, Italiens, Espagnols, Grecs, il est parfois
difficile de distinguer les Méditerranéens les uns des
autres. Mais surtout je distinguais sous la robe très
élégamment modeste de Marianne, une nudité délicatement potelée, suffisamment sertie dans les muscles, qui
n'aurait pas déparé un harem de Ingres. Quelle jolie
odalisque on m'offre là et dans quelles délices sucrées
je vais me vautrer. La naissance de la colère de la luxure
dans ces yeux de biche pacifique sera un vrai plaisir de
jannissaire. Ce pensant, je tordais une cruelle mous-
tache et mon œil s'injectait. Marianne attendait ce
moment et soudain lâchant sa tasse de thé, virant sur ses
jeunes hanches souples, elle renversa son buste sur mes
genoux en déclarant : « Je suis heureuse. »

Je cours encore. Ou plutôt je ne cours plus,

VII [1]

A mon grand étonnement, je reçus une lettre d'Edwige. Non pas tant parce qu'elle était hongroise que parce qu'elle était « femme du monde », elle s'exprimait moins bien qu'une cuisinière. Chez une cuisinière il y a du très vague, mais aussi un peu de précis : chez une femme du monde il n'y a que du vague. Le papier montrait une de ces écritures comme en ont les femmes qui n'écrivent jamais. Et en effet pourquoi écriraient-elles alors qu'il y a le téléphone et le télégraphe ? Et comment savent-elles même écrire ? Comment leurs « nurses » sont-elles parvenues à leur apprendre ? Elle parvenait à me communiquer pourtant qu'elle ne m'oubliait pas, qu'elle me regrettait, qu'elle avait besoin de me revoir bientôt. Tout cela en phrases toutes faites selon la convention emphatique.

J'étais étonné parce que je m'étais mis en tête que cette femme avait été découragée par mon découragement, et que sa vie idiote l'avait suffisamment emportée, et qu'elle était tombée dans d'autres bras. Je n'ai jamais su apprécier l'obstination des femmes, ni aucun autre de leurs ressorts d'ailleurs. J'accueillais cette lettre avec faveur parce qu'elle illustrait pour moi une image qui

1. Le chapitre VI manque dans le manuscrit.

contrastait avec tout ce qui m'avait écarté de Marianne :
une haute stature se redressait devant moi. Stature
désolée, marbre dans un parc battu par la pluie, frap-
pée par le froid, c'était le signe propre à ma solitude.
Voilà ce qu'il pouvait seulement y avoir dans ma vie, de
ces statues. Elles seules étaient belles. Parce qu'Edwige
était la beauté, elle, comme moi qui étais hanté par
l'idée de la beauté, participait du même genre de destin
d'où était exclue l'idée abjecte du bonheur.

Je répondis à Edwige. Comme j'avais lu les poètes et
les romanciers, comme je m'étais nourri assez intimement des délicatesses de plusieurs époques, j'avais horreur d'en faire un usage démagogique auprès des
femmes. Il est aussi facile de séduire une femme qu'une
foule par les mots ; moi qui n'étais pas écrivain, grâce
aux dieux, je répugnais à posséder une maîtresse comme
on possède un chien. Aussi écrivais-je toujours aux
femmes des lettres tout à fait succinctes. Mais le diable
se niche aussi bien dans la concision que dans l'euphé-
misme. Et sans doute ma lettre mettait-elle dans ses
silences une grande hypocrisie, car Edwige me récri-
vit-elle pour me remercier avec effusion des « trop belles
choses » que je lui avais adressées.

Elle me disait que son projet d'amener son mari à
Nice se précisait et elle me suppliait de me préparer à
l'y rejoindre. Puis il y eut des télégrammes de plus en
plus précis. Et enfin un beau matin, je débarquais dans
cette ville où j'avais évité avec soin de mettre les pieds
depuis dix ans : l'idée de la Promenade des Anglais me
soulevait le cœur.

Je m'étais assez monté la tête dans le passé, car les
voyages ont un grand pouvoir sur l'imagination pour
orner les objets qui sont leurs buts. N'étais-je pas
attendu ? J'en rabattis beaucoup quand je fus dans un
vieil hôtel, sur cette insipide Promenade : la comtesse
n'était pas là. Elle était dans une maison de santé où

l'on traitait le comte. De me trouver dans la même ville
que celui-ci me fit penser à lui. Il était jeune, il était
beau, il était malheureux, il était le père de l'enfant
d'Edwige. Et, pourtant, moi, j'étais là.

J'allai me promener sur la Promenade, en attendant
celle qui soi-disant m'attendait. Bien qu'il plût beaucoup, il n'y avait guère d'Anglais sur cette Promenade.
Je considérais avec la plus grande malveillance une ville
tout entière construite pour les rentiers, ces bâtisses tor-
tillées dans la crème fouettée, ces ignobles casinos. Je
me raidissais dans ma malveillance, en dépit du fait
qu'il pleuvait et que j'adore la pluie, et que la pluie
sur la Côte d'Azur est une revanche de Dieu contre la
turpitude des rentiers qui prétendent échapper à sa loi
de douleur, et que je me laissais gagner par une certaine
fausse élégance qui circule à une certaine distance des
maisons dans les avenues de cette cité de bien-être et qui
sans doute est le souvenir épars de la place Masséna, un
des bijoux roses issus de la mode Second Empire.

Je revins à l'hôtel. Le portier me dit que la comtesse
m'attendait dans sa chambre. J'appréciais cette sotte
désinvolture de la comtesse, mais quant à moi un sentiment petit-bourgeois me fit rougir. Du moins, j'ai
horreur du regard des autres sur moi et je suis prêt tour à
tour à m'emparer de la modestie ou de l'hypocrisie ou de
la nullité pour me couvrir. Vaines tentatives d'ailleurs,
car je suis toujours remarqué comme suspect par toutes
les classes de la société, et en particulier par le peuple
qui se fait bien plus de préjugés que toutes les autres
classes. Où est-on plus dominé par le qu'en dira-t-on, où
se montre-t-on plus collet-monté que chez les plombiers
ou les zingueurs, surtout quand ils sont communistes.

Edwige était toujours belle, mais plus blême que
jamais. Je reconnus aussitôt, après l'avoir oublié, ce
comportement qui lui était si particulier, ce stoïcisme
dans la tendresse, cette anxiété parfaitement étouffée.

Mais moi, je ne voyais que le fait qu'à Nice comme à Paris elle était aussi affairée, qu'elle n'avait pas trouvé un moment de répit dans la matinée pour me recevoir dès mon arrivée. Sans doute devais-je faire la tête. D'ailleurs, quand n'ai-je pas fait la tête avec une femme ? Quand je n'ai pas l'air triste ou désespéré, j'ai l'air ennuyé, maussade ou plein de reproche. L'humeur gaie, c'est plutôt pour les hommes. Au besoin, je me mets en frais avec eux.

Voyant mon mécontentement, elle s'excusa en me parlant des soins dont il fallait entourer son mari, des amis qu'elle avait sur la Côte. Pour ce faire, elle quittait le ton hautain qu'elle aurait pu aussi bien prendre à l'égard de l'ennuyeux personnage que je faisais, et elle le quittait avec tant de bonne volonté que j'aurais dû en être touché. Si je changeai de ton, ce fut parce que j'eus envie d'elle. J'en étais étonné, car c'était une heure assez inhabituelle. C'était l'heure du déjeuner, j'avais faim et le matin n'a jamais été dans ma préférence. Mais le désir encore juvénile a de ces rigueurs peu sensuelles. Là encore elle montra une bonne volonté désarmante. Et bien qu'elle fût fatiguée par une longue séance avec les médecins au chevet de son mari, elle commença de dénuder le marbre. Je retrouvais ce prodige de majesté, ce chef-d'œuvre de musée qui se promenait impunément dans les palaces, dans les lieux les plus ignobles de ce Nice — qui sera sans doute un jour bombardé, pêle-mêle avec Florence. Hélas. Comme il faisait assez froid dans la chambre où les fenêtres venaient d'être à peine refermées après le ménage du matin, que la lumière était fausse et que j'avais une horrible envie de manger un beefsteack, je fis l'amour tout de travers, dans une hâte désordonnée et négligente. Enfin, j'étais pressé de marquer mon pouvoir sur le marbre en le salissant. Elle avait une trop grande habitude des hommes et de leurs lubies de babouins, elle avait trop de gentillesse pour m'en témoigner le moindre mécontentement. Du reste, cela ne s'était pas passé sans que revînt cet étrange spasme, douloureux et rauque, que je reconnaissais, après l'avoir oublié aussi.

Après cela, nous déjeunâmes dans sa chambre. Elle s'étonna, quand je lui appris que je n'avais pas voulu de la chambre voisine de la sienne. Quand l'employé de la réception m'y avait conduit, j'en avais demandé une autre au bout du couloir, en pensant à son mari. Certes, je me serais bien gaussé chez un autre de ce procédé d'autruche, mais on ne refait pas les parents qu'on a eus et qui vous ont mis dans le sang la sottise. Elle eut une brève protestation, mais elle acceptait mon côté mesquin, sordide, avec sa magnanimité de statue.

Et la vie commença, cette vie qui devait durer quelques jours et qui me parut tout de suite devoir durer des siècles. Naturellement, elle avait « des choses à faire » après le déjeuner, ou dans la journée, ou elle était prise à dîner. C'était pour m'assurer cela qu'elle m'avait fait venir de Paris, après tant de télégrammes impatients et pressants. On avouera que j'avais quelque raison de me renfrogner. Mais aussi pourquoi toujours reprendre du service dans cette galère de l'adultère où je savais que les coups sont plus abondants que la pitance, où l'amant rame en bas tandis que les privilégiés, c'est-à-dire tous les indifférents, se pavanent sur le pont ?

D'ailleurs, n'étais-je pas sournoisement satisfait quand elle me disait qu'elle ne pourrait dîner avec moi, car hors la solitude je n'aime que l'impromptu. Tout appointement, comme disent les Anglais, menace mes nerfs. De plus, j'avais horreur de faire figure officielle avec elle dans ce Nice qui pourtant n'était que Nice et au surplus en décembre désert. Somme toute, j'ai toujours eu horreur du personnage de galant que j'ai dû jouer toute ma vie, ne pouvant toujours m'en tenir aux putains du ruisseau et étant peu amateur de légitimes.

Je me promenai longuement dans Nice. Comment n'eus-je pas l'idée d'aller à Cimiez revoir un petit hôtel où un hiver ma grand-mère m'avait amené pour trois beaux mois d'émerveillement. C'est alors que j'avais fait la connaissance de Victor. C'était un petit Russe que sa mère, princesse et joueuse comme de juste, abandonnait tout le jour et avec qui je gambadais dans le jardin. Victor avait un costume marin, mais est-ce une déformation de la mémoire, ce costume était aussi un peu comme écossais, car il comportait une jupe au lieu d'un pantalon : ceci me partageait entre l'admiration et la dérision. Victor était ravissant, me semblait-il, avec ses cheveux blond cendré coupés aux enfants d'Edouard. Ce fut peut-être auprès de lui que j'éprouvai pour la première fois ce transport douloureux où vous jette la beauté et qui, par un réflexe naturel de défense, ne peut que se transformer en sadique sursaut : un jour, je portai avec adoration sa main à mes lèvres, et je le mordis cruellement au poignet. Il n'apprécia pas du tout l'hommage et, poussant des cris, ameuta l'hôtel. C'était avant le déjeuner et il y eut un rassemblement autour de nous. Ce fut pour moi l'occasion de voir sa mère de plus près. Je ne me rappelle rien d'elle, si ce n'est qu'elle me regarda avec une pénétration singulière : je me sentis percé. D'ailleurs, je niai stupidement l'avoir mordu alors que sa chair blanche portait des marques évidentes que tout le monde constatait avec horreur. Cela se produisit somme toute avant l'histoire de la poule. L'histoire de la poule que m'avait donnée en propriété ma grand-mère et que je torturais au fond du poulailler où elle avait sa petite cage à part, mériterait un long et inexorable récit.

Je me promenai longuement dans Nice où je n'étais pas venu depuis le jour où, prêt à abandonner ma première femme, j'y passai une journée étrange avec ma belle-mère qui flairait avec une volupté étrange la décon-

fiture prochaine de sa fille. Je me promenai et consi-
dérai les bâtisses. Nul n'aura plus souffert que moi de la
décomposition dans la pierre de toute la vertu humaine.
Ce n'est pas, certes, seulement parce que j'ai eu un
grand-père architecte et qui, humble artisan, avait gardé,
je crois, un certain sens de l'honnêteté des proportions
et des ornements, mais c'est parce que j'ai au fond de
moi vraiment par une grâce spéciale le sens du trésor
humain que j'ai agonisé jour après jour en déambulant
parmi les monuments de notre déchéance. Déchéance
universelle, étendue à toute la terre, et qui appelle ces
déluges de fer et de feu où enfin nous sommes entrés.

Je trouvais les hommes aussi hideux que leurs monuments. Comme cette ville a dû être modeste, gracieuse,
sale jusque vers 1850 ! Elle était aussi innocente, ni italienne ni française. Maintenant elle roule les masques les
plus usés, les plus effacés qu'on puisse voir, rentiers,
retraités, croupiers, escrocs. On y éternue au milieu du
cosmopolitisme le plus pulvérulent. Je commençais à en
vouloir beaucoup à cette Hongroise de m'avoir attiré
dans ce lieu où de mon propre chef je n'aurais jamais
songé à mettre les pieds. Mais cette Hongroise était-elle
hongroise ?

Je m'efforçais de ne pas regarder les gens. Car à quoi
bon les regarder pour les haïr ? Et à quoi bon les haïr ?
N'est-ce pas très bien que les trois quarts et demi de
l'humanité ne soient que des larves ? Voudrais-tu que
la terre soit peuplée de génies ? Comment apprécierais-tu
le génie, alors ? La philosophie de Pangloss m'a toujours
paru irréfutable, étant donné que Candide en dépit de
ses protestations hypothétiques vit finalement dans son
jardin, à l'abri d'une crédulité égale à celle de Pangloss.
Il croit à la vertu de ce petit jardin, or c'est justement le
traquenard où Pangloss et son bon Dieu voulaient
l'amener.

Je retrouvais Edwige le soir, assez tard. Cela ne me

convenait pas du tout. Je n'ai jamais aimé l'amour du soir, pas plus que celui du matin. Vers onze heures, je suis fatigué et j'ai sommeil. J'aime mieux faire l'amour dans la journée. Sans doute est-ce la vie de célibataire qui m'a fait prendre des habitudes et surtout la vie de paresseux, qui est libre aux heures où les autres sont esclaves ; car, somme\toute, je veille souvent assez avant dans la nuit, lisant, rêvant, marchant, fumant.

Elle me recevait dans sa chambre et, bien sûr, elle était fatiguée elle aussi. Nous réinstallions tant bien que mal notre commerce de corps et de cœur, commerce ambulant dont la tente était renversée à peine montée.

Elle me proposait de demeurer toute la nuit dans son lit. La perspective de devoir me retirer vers le matin et la présence à côté de moi d'un corps insolite m'empêchaient de dormir : je me cognais sans cesse à ce marbre. Quand je m'en allais, au matin, je me cognais dans le couloir à toute la domesticité, d'ailleurs avertie et sombrement indifférente. Evidemment, j'aurais mieux fait de prendre la chambre à côté. Je me sentis vite dans le trantran de cette nouvelle situation.

VIII

Depuis quelques jours que j'étais à Nice, je n'avais pas encore étreint d'autre femme qu'Edwige. Cela était assez normal, mais ce serait devenu anormal si cela avait duré. Je n'étais fidèle à la lettre que dans les grandes passions, et surtout dans le premier feu des grandes passions. Le sublime même souffrait de quelques anicroches. Même Dora, je l'avais larronnée trois ou quatre fois. Avec des filles, seulement, bien sûr. La manie des filles me reprenait toujours de loin en loin.

Un après-midi, alors que je me promenais du côté de la place Masséna, j'avisais une péripatéticienne, comme disent les journalistes qui aiment les mots savants et qu'ils ne comprennent pas. C'était une brune assez pâle, assez soignée et assez fanée. Rien ne vaut la débauche : c'est seulement dans ses sentiers sourds qu'on reçoit de ces coups, percussions brusques, brèves, aiguës qui rejoignent mystérieusement dans l'infini de la mémoire les grands coups de l'amour.

Il y a dans ces rencontres une instantanéité que rien ne peut remplacer et qui confond le premier regard, le premier mot et le premier geste. Rien ne donne mieux l'illusion de la liberté. Les femmes qu'on aime savent rarement se donner comme les femmes qu'on ne fait que désirer ; c'est que nous ne les saisissons pas de la même manière.

Cette pauvre petite n'était rien en fait de beauté à côté d'Edwige, mais elle avait quelque chose de meurtri, d'humain que n'avait pas Edwige. Tout d'un coup j'étais à mon aise comme je ne le serais jamais avec Edwige, ni avec aucune autre dame. Cela venait de ce qu'elle était une passante. J'ai quelquefois essayé de revoir une seconde fois une de ces filles qu'avait illuminées la faveur du moment : quel désastre. Tout le mérite des filles était que je ne leur parlais pas et que je ne les laissais pas parler : elles n'y tiennent pas, du reste, car elles sont lasses de la parole qui pour elles ne peut être que mensonge. Toutefois, si la rencontre se renouvelait, durait, elles commenceraient de parler et alors on verrait que ce sont les pires bourgeoises de petites employées avares et si régulières.

Toutefois, je leur apportais quelque chose qui bouleversait leur placidité, une frénésie qui allait chercher dans leurs sens le point d'émotion et de désordre qui réveillait sur leurs visages cette allusion à la joie et à la pureté qui y sommeillait dans quelques traits.

Celle-ci fut une de celles que j'ai remuées avec l'ardeur la plus inattendue et la plus violente. Elle en était d'autant plus étonnée que faisant le trottoir, avec discrétion, près de l'hôtel où nous habitions, elle m'en avait vu sortir avec Edwige. Elle se demandait comment, possesseur d'une si belle femme, je pouvais avoir recours à elle. Je finis par lui faire dire cela : elle me le déclara avec cette révolte que nous éprouvons tous devant l'incapacité d'autrui au bonheur. Je lui demandai quelle raison m'incitait :

— Tu es un vicieux, comme tous les hommes.

Elle voulait dire dans son pauvre vocabulaire cela justement que j'étais brouillé avec le bonheur.

Ma frénésie était protestation contre la froideur

d'Edwige, froideur qui n'était pas physique, mais qui était morale, froideur qui n'était même pas dans tout son cœur, mais dans le dernier recès de son cœur. J'aurais pu forcer ce recès, je savais que je pouvais forcer ce recès. Mais moi-même avec elle une froideur me tenait. Et elle m'a tenu avec toutes les femmes ? Oui, même avec Dora, même avec l'Algérienne, même avec l'infirmière, et même encore plus tard avec une autre. Il y a toujours eu chez moi la sournoise volonté de ne pas rompre la dernière écluse dans le cœur d'une femme pour ne pas être emporté.

Edwige me parlait des personnes qu'elle voyait en dehors de moi. Il y avait surtout le prince Garwolin. C'était un demi-Polonais, demi-Français qui traînait dans notre époque un résidu de tout ce qui avait fait encore au siècle précédent le prestige des aristocraties : il avait été beau, brave, il avait eu beaucoup d'argent et avait fait autant de dettes, il avait étonné les femmes et il s'était perdu. Maintenant, drogué à mort, panné, il était moins que rien et pourtant Edwige parlait de lui avec goût et considération. Je me jetais sur cette première occasion précise d'exprimer le grief que j'avais nourri contre elle avant même de la connaître et qui portait contre les hommes de son monde. Certes, s'il n'y avait pas eu les femmes, je n'aurais jamais mis les pieds dans cet Olympe délabré et destitué qu'on appelle « le monde » et qui aurait depuis longtemps achevé de s'écrouler tout à fait s'il n'était pas sans cesse retapé et remonté par tous ceux qui ne gagnent de l'argent que pour entrer dans son illusion. L'aristocratie est morte, cent fois morte et elle ne survit dans les mots, les noms, que dans la faible mesure où, confondue avec la bourgeoisie, elle se réchauffe au sang et à l'argent des bourgeois. Et elle épuise la bourgeoisie. Aussi, cela me vexait profondément d'être obligé de côtoyer les hommes pour approcher les femmes. Et, un beau jour, j'ai renoncé aux unes pour ne plus avoir à supporter les autres. Car mon idée de l'homme et du chef est bafouée par ces freluquets charmants qui dissimulent si aisément parce qu'ils y ont émoussé toute vertu, ce qu'ils ont reçu des Juifs, des Américains, des paysans. L'aristocratie vraie est aujourd'hui à Moscou, c'est-à-dire quelque chose de rude, de féroce, d'inexorable.

Donc, je chamaillai Edwige sur le prince Garwolin, mais elle ne se laissait pas démonter, car elle décelait fort bien ce qu'il y avait d'injuste et de sournois dans mon attitude.

— Du moment que vous vous promenez parmi nous, c'est que quelque chose vous attire et vous retient, alors ne faites pas la tête.

— Mais non, je ne me promenais que pour vous chercher. Je suis retenu par votre beauté et par rien d'autre.

Elle se taisait, empêtrée, mais voulait me rétorquer :
— Ma beauté est le produit de mon milieu.

Nous échangions des propos plus détournés et plus maladroits que ceux-ci.

C'est alors que je découvris que la mère d'Edwige était américaine. Ce fut pour moi un coup : tout ce que j'avais rêvé malgré moi en petit bourgeois romantique sur l'aristocratie hongroise s'effondrait plus qu'à moitié. Je m'aperçus à cette occasion que j'étais bien le petit-fils de ma grand-mère, qui, fille d'un petit rentier normand et mariée à un modeste architecte, était fort versée dans le Gotha et m'enseignait les lignées princières. D'où lui venait ce goût ? De sa mère qui était une petite bourgeoise vendéenne et avait été élevée dans la considération dévote de la noblesse et de la royauté ?

Pour battre en brèche ma mauvaise volonté, Edwige me fit dîner avec un de ses alliés italien. Elle avait une sœur mariée avec un prince romain. Celui-ci avait un frère marié avec une Américaine. C'était, ce frère, un homme fort long qui était aussi beau qu'on peut être quand on est trop long. Il était peintre, à peu près comme Marianne l'était. Edwige s'étonna que cette bonne volonté artistique ne m'intéressât pas ; or, je croyais bien feindre l'intérêt, qu'eût-ce été si je ne m'en étais pas soucié ? Et, au bout d'un moment je fis même effort pour séduire le prince, car le peu d'entrain qu'il me donnait risquait de me faire paraître médiocre à ses yeux. Edwige en aurait conclu que je n'étais pas un si brillant esprit qu'on lui avait dit et qu'elle avait cru. Or, n'était-ce point par là que je la tenais ? En dépit de l'ennui et de la gêne où j'étais tout de suite à Nice, je voulais la garder.

Garder ce qu'on tient est un mouvement instinctif qui se produit alors même qu'on croit en soi tout instinct aboli par la raison, la déception et l'indifférence. Mon attachement en elle n'allait à rien de particulier : de son beau corps j'usais si peu et si mal. Nos étreintes nocturnes ne duraient pas très longtemps et je n'avais pas de goût à les prolonger. A cause de cette froideur que je sentais, ou croyais sentir dans l'extrême fond d'elle-même, et aussi de cette distraction ou de cet affairement où je la voyais toujours. C'était au point que je me demandai si elle ne se droguait pas. Ses relations avec le prince Garwolin m'en avaient donné l'idée. Elle si frêle, et si maigre, somme toute, en dépit de sa magnifique structure. Rien ne pouvait plus m'éloigner d'elle, car les drogués m'ont toujours éloigné. Les opiomanes m'ennuient, les autres me font horreur: cocaïnomanes, morphinomanes, héroïnomanes. J'avais commencé de beaucoup moins me saouler, à cause de la monotonie du personnage que je faisais chaque fois que j'étais saoul.

Donc, je fis effort pour plaire au prince alors que rien ne me plaisait en lui, et même pas cette sorte d'élégance indéniable qu'il avait et qui était assez spirituelle. J'étais obsédé par l'idée qu'il était faible, que sa classe était faible. Je lui en voulais à mort de ce que les siens n'avaient plus de pouvoir en Italie. S'ils l'avaient eu,

peut-être les aurais-je haïs, mais je ne les aurais plus
méprisés. Le mépris blesse celui qui méprise bien plus
que le méprisé. Est-ce que je plus au prince ? J'en doute,
car je n'avais aucune situation, à Paris, aucun nom.
Je n'appartenais à aucune coterie qui se crût obligée de
me prôner, étant prônée par moi ; au contraire, chacun
avait de bonnes raisons de mettre en doute mon importance, car elle ne recevait de moi que des marques d'om-
brage, de méfiance, d'ironie. J'ai toujours joué les persécutés ; or les maniaques de la persécution sont
eux-mêmes des persécuteurs. Mais moi, ne l'étant nullement de façon systématique, mais seulement par
à-coups et boutades, j'ignorais que je le fusse et j'étais
toujours étonné qu'on me traitât comme tel. Du reste,
en fait, on m'en voulait beaucoup plus de mon indifférence que de mes boutades.

Je fus assez dépité de l'aimable négligence avec
laquelle me traitait le prince, ce qui eut pour effet de
me réveiller tout à fait, et de me rendre assez incisif.
J'attaquai avec verve la coterie à laquelle à Paris je
savais que lui et sa femme, fort entichée de littérature,
appartenaient. Il y avait là d'ailleurs quelques-unes des
meilleures têtes de Paris. Mais le seul fait qu'il y eût
coterie m'indisposait. Pour rien au monde je n'aurais
voulu donner les gages qu'il me semblait qu'on y exi-
geait, là comme ailleurs. Mais que peuvent faire les
humains ? Si ce n'est se réunir entre eux pour tuer le
temps. L'habitude et l'intérêt s'y glissent forcément pour
nouer le groupe et fermer la chapelle. Qu'y faire ?
Qu'aurais-je donc voulu d'autre ? Quelque chose de plus
libre, de plus libéral. Mais alors j'aurais crié au relâ-
chement, au laisser-aller. Dès ce temps, je me méfiais de
l'injustice de mes humeurs noires, que corrigeait d'ailleurs comme avec ce prince le goût de la séduction qui
soudain s'emparait de moi comme une soudaine terreur
de ma solitude.

Le lendemain, Edwige me dit que j'avais beaucoup frappé le prince : je n'en crus rien. Ou ses amis de Paris y mettraient bon ordre, et je ne serais pas là pour les contrecarrer.

IX

Un jour, Edwige m'annonça que, selon les craintes qu'elle m'avait déjà souvent exprimées, le médecin de Nice qu'on lui avait vanté était aussi incapable que tous ceux qu'elle avait essayés jusque-là d'améliorer le sort de son mari. Celui-ci voulait passer l'hiver à Rome dans le palais de la sœur d'Edwige. Elle-même n'était pas étrangère à cette décision, elle pensait que ce serait plus agréable pour moi de vivre auprès d'elle à Rome qu'à Nice dont e le voyait bien que je ne la goûtais guère. J'eus aussi un moment de joie : je n'avais jamais été à Rome. De l'Italie, je ne connaissais que Venise, où j'avais passé 'e printemps de 1921 avec l'Algérienne, et Florence, où j'avais passé le dernier mois de septembre.

Je devais la rejoindre à Rome au bout de quelques jours qu'elle y serait. Je repassai par Paris, en attendant. Je la quittais avec soulagement. Il n'y a guère que Dora que je ne quittais qu'avec angoisse, soit par amour, soit par jalousie, soit parce que j'étais acharné à gagner la partie de l'épouser. Les autres femmes ne me tenaient pas tellement que je n'eusse toujours un plaisir âpre à retrouver ma solitude. Je ne parle pas de ces dernières années où la séparation d'avec B. était chaque fois une déchirure.

A Paris, je retrouvai avec cette joie sauvage qui était

toujours égale à elle-même les habitudes de ma débauche : maisons de passe et bordels.

Je reçus des lettres d'Edwige qui m'étonnèrent comme celles qu'elle m'avait écrites après notre première séparation, par le contraste de leur tour assez exalté avec la relative placidité de nos relations quand nous étions ensemble. Je mis cela encore sur le préjugé littéraire des illettrés qui les tient persuadés qu'une lettre d'amour se doit d'être au plus haut du diapason. Le ton de ces nouvelles lettres montait singulièrement et je ne savais à la fin que penser. Etait-elle vraiment amoureuse ? Etait-elle donc capable d'amour ? Qu'aimait-elle en moi ? Que voulait-elle de moi ? A quoi cette liaison pouvait-elle nous mener ? Allais-je traîner longtemps derrière ce mannequin tout à la représentation et que je ne voyais que dans les coulisses de sa vie ? Certes, j'aimais assez rester dans l'ombre, j'ai toujours recherché l'ombre. Mais était-ce ma vraie liberté que je gardais dans cette ombre ?

Elle m'écrivait que je lui manquais, qu'elle ne pouvait se passer de moi, qu'elle s'arrangerait pour me voir beaucoup plus à Rome qu'à Nice ou à Paris. Comment serait-ce possible ? Le contraire me paraissait plus probable. Puis soudain, elle m'annonça qu'elle était enceinte.

Cela ne me donna aucun émoi. Combien de fois déjà des femmes m'avaient annoncé cela. Jamais je ne me représentais l'être possible qui était derrière cette nouvelle banale ; je savais si bien que l'inconvénient serait escamoté avec facilité que je n'y voyais rien d'humain. Et, en effet, Edwige m'assurait qu'elle allait faire promptement le nécessaire.

Et elle le fit. Mais cela fut un peu plus affreux que de coutume. Je reçus d'elle une lettre vraiment déchirée, où il y avait un reflet dans les mots maladroits de l'horreur inexpiable. Cela s'était passé dans un recoin sinistre d'un faubourg de Rome, cela avait été fait par une mégère qui n'avait pas pris les précautions voulues. Et l'infection menaçant, il avait fallu en hâte se confier à un chirurgien. Les choses s'étaient arrangées. Mais elle en restait ébranlée et douloureuse.

Maintenant j'étais ému et il me semblait qu'un lien s'était formé entre cette femme inconnue et moi. Aussi, j'avais hâte de partir pour Rome et ce fut dans un transport d'attente que je fis le voyage.

Hélas, à Rome la déception de Nice se reproduisit : elle n'était pas là à mon arrivée et quand je la vis, la brillante mondaine qui me donnait sa main à baiser dans le hall de l'hôtel ne semblait porter aucune trace du crime qui m'avait rapproché d'elle.

Je fus extrêmement séduit par Rome et Rome resta toujours à mes yeux la justification d'Edwige. On peut supporter une femme pour le port où elle vous a incité à entrer. Et le plus grand reproche que je me suis fait à propos de Dora, c'est de ne pas m'être acharné à l'aventure, en dépit de la blessure de mon cœur, jusqu'à la poursuivre à New York et autres lieux américains.

Rome me parut un lieu d'élégance presque autant que Florence, plus que Venise: « Toute l'Italie est élégante, mais la Grèce que je ne connaissais pas est quelque chose de plus. » Disant cela, je réhabilitais ce mot d'élégance qui dans la bouche des bourgeois a pris une signification odieusement étriquée. L'élégance, c'est le muscle maigre, mais ce n'est pas une cravate trop serrée par des doigts mesquins. J'avais honte de m'attarder à des pensées aussi élémentaires, mais voilà où m'amenait cette idée saugrenue de vivre dans un milieu aussi débile.

On a beau faire, les mythes de l'industrie et de la démocratie ne parviennent pas à enlaidir une ville italienne comme une ville d'ailleurs. Il y a là quelque chose qui résiste, une trop belle et forte pierre, une présence irréductible. Tant de palais, construits avec le roc et le génie, ne peuvent être abolis en un instant et remplacés par ce n'importe quoi ou ce rien qui est toute la création, comme dit l'autre, de l'homme récent. Et qu'importe l'humanité qui circule entre des pierres. L'Italie, la Grèce, la France n'ont plus besoin des Italiens, des Grecs, des Français pour vivre ; elles vivent au ciel et dans quelques ruines immarcescibles.

J'habitais à l'hôtel Plazza, dans le Corso. C'était un hôtel italien, fréquenté par les Italiens, ce qui était un grand avantage sur les hôtels à touristes. Je ne me considère jamais comme un touriste, pour la bonne raison que rien en moi n'est de cette race impie, si justement dénoncée par un nom horrible : tout ce qui se termine en « iste » est condamné. Je n'use pas de ces livres bleus ou rouges qui sont leurs catéchismes : j'en sais beaucoup plus ou beaucoup moins. Je n'étais pas à Rome pour m'instruire et je me promenais au hasard, me fiant à l'ensemble beaucoup plus qu'au détail. Je répugnais à enter dans les églises, car j'ai horreur du catholicisme romain. Quand je suis devant un pape, un cardinal, un monsignore ou un de ces ignobles séminaristes qui traîne ses gros croquenots sur le noble pavé, je deviens idiot de répulsion et pour un peu je rêverais de l'église des banquiers genevois, nue comme un coffre-fort.

Sortant de mon hôtel, j'étais en pleine foule et y retrouvais chaque jour ma perte voluptueuse. Je méprise ce dont je tire une partie de mes plaisirs ; je méprise les femmes, les peuples paresseux et peureux ; mais je m'y ébats et m'y détends à l'infini. Quelles heures de jouissance sans limites et sans retenue j'ai passées dans ces villes italiennes où règne la préférence la plus éhontée pour la paix, la disposition à toutes les humiliations et les servitudes qu'entraîne cette préférence. On goûte là une débauche d'avilissement dans le décor le plus hautain. La jouissance est toujours exactement à l'intersection de deux termes contradictoires, qu'on doit se garder bien, si l'on veut la prolonger, de réduire l'un a l'autre.

Dans ce mois de janvier et dans ce mois de février, il y eut bien des jours de pluie mais aussi bien des jours de soleil. Et j'appréciais ce soleil comme d'une pièce d'or volée, volée à tous ces sombres imbéciles qui besognaient là-haut dans le Nord. L'Italie est une école de parfaite démoralisation.

Mes endroits préférés étaient un peu élevés au-dessus de la ville : le Pincio et le Palatino. Du Pincio, on pouvait encore apercevoir une assez belle campagne de pins et de villas anciennes qui n'était pas encore anéantie par les mythes récents, lesquels recouvrent tout de bâtisses infâmes, cela aussi bien dans la délicieuse Asie que dans la délicieuse Europe. Quant à l'Amérique, elle n'aura connu que la laideur, elle n'est donc pas laide.

Le Pincio est un de ces jardins italiens, maigres, austères, âprement dépourvus de toute cette opulence d'humidité et de verdure à laquelle nous sommes accoutumés et où nous nous sentons soulagés de notre pléthore. C'est comme un Jardin des Oliviers ou un Golgotha aménagé par des horticulteurs, acharnés à rafraîchir, à fumer, à adoniser une terre qui n'avait envie que de crier la désolation des siècles au-dessus d'une ville épuisée par l'ennui de vivre, et d'être toujours grande et de sommer un univers qui n'a que faire de tant de magnificence.

A l'élégance seigneuriale des jardins de la Renaissance, si pauvres, si modestes dans leur puissante conquête sur un sol fièrement malveillant, se superpose il est vrai une élégance bourgeoise de ville cossue, commerçante, prostituée aux voyageurs, attirant et imitant les Anglais et les Américains, prétentieusement politique, celle-ci me déplaisait bien ; mais quoi, cette race si sotte qu'elle se fasse ne parvient jamais à être aussi laide que la nôtre. Et le sourire totalement dépourvu d'humour d'une jeune Italienne ou d'un jeune Italien me fera toujours tout oublier de ce qui me turlupine et me harasse chez nous.

Je préférais le Palatin. Là, j'ai passé pendant ces deux mois quelques-unes des plus belles heures de ma vie, loin d'Edwige, loin de Dora. Là je me suis vraiment guéri de Dora, perdant l'image indigne, ne gardant que la sainte blessure. Le matin, ces misérables jardins, établis par les archéologues au-dessus de leur impossible entreprise d'excavation, étaient presque vides et tout à moi. Il ne s'agissait guère de rêver sur la Rome antique qu'alors je n'avais guère étudiée, dont j'oubliais aisément tout le souvenir scolaire, mais d'une idée que j'ai accueillie très jeune, avec un transport sauvage, l'idée de la grandeur politique qui écrase les hommes et qui leur impose un luxe absurde, à peine goûté par des hommes qui sont presque tous de la même race vulgaire que celles qu'ils anéantissent. Merveille atroce de la Nature, aussi aveuglément déterminée dans l'ordre humain que dans l'animal ou le végétal.

Je n'ai jamais aimé les Romains et je ne les aimerai jamais : je n'aime ni leur religion, ni leur génie, ni leur littérature, mais j'admire leur passion d'orgueil et je suis toujours pour eux contre les faibles qui n'ont pas su leur résister. Je goûte amèrement qu'ils aient porté le dernier coup à l'Egypte, à la Grèce qui se mouraient même sans eux. Je m'étonne et je me choque qu'ils aient dérangé le destin nordique de la Gaule, de la Germanie ; je m'en console en pensant qu'ils étaient malgré tout de souche aryenne et que le seul vrai mal qu'ils nous aient apporté c'est celui qu'ils avaient eux-mêmes reçu d'un Orient qui s'était corrompu.

Je me remplissais de ce qui était le contraire d'Edwige et de ses amis : de la véritable idée de puissance et de force. Ce qui est curieux c'est que cet émoi ne m'ait amené à la moindre curiosité pour le fascisme : j'ai pu passer deux mois en 1926 à Rome sans m'intéresser à

Mussolini et à sa création. Tant le passé de Rome écrase tous ses présents successifs et tant cette bourgeoisie vaguement aristocratique au milieu de laquelle je végétais me masquait les destins tourmentés qui cheminaient sous tant de décors.

Et puis, j'étais amèrement sceptique, je gardais la blessure de ma déception en Fance au retour de la guerre en 1918, mon mépris pour le traité de Versailles et tout ce qui se faisait en Europe depuis ce moment. Je ne croyais pas qu'auprès d'une France si morte quelque chose puisse remuer en Italie. Tout ce que j'apercevais de la manifestation fasciste me semblait faux-semblant. Non, il ne pouvait y avoir pour moi à Rome qu'ennui et délectation morose dans les bras d'une belle ruine comme Edwige.

X

L'hôtel Plaza où m'avait fait descendre Edwige était fréquenté par l'aristocratie. Le ton des domestiques, du portier était discrètement hautain et on voyait circuler dans les couloirs de ces figures fatiguées, repliées sur leur prestige, délicatement dédaigneuses, vaguement inquiètes, lointainement endeuillées, religieusement inutiles et qui figurent encore partout sur la terre la bonne noblesse de province, en Asie comme en Europe, et même à Boston. Cette noblesse n'est pas enjuivée, se croit encore pourvue de vertus militaires et politiques et guigne les conseils d'administration avec assez d'effroi. Elle a été abrutie à jamais par l'Eglise et la Monarchie absolue.

J'avais une chambre charmante et froide et j'allais au bar pour y prendre l'air du lieu. Là des jeunes gens qui m'avaient aperçu avec Edwige me lorgnaient avec scandale. Ce scandale, je le ressentais moi-même. Que venais-je faire dans cette galère ? Pourquoi s'introduire si peu que ce soit dans ce petit monde fermé, où l'argent seul a le droit d'effraction ? Moi qui les méprisais pourquoi venais-je me faire mépriser par eux ? Dans ce bar je perdais de ma délicieuse nonchalance des rues et je contractais une manière de timidité rogue qui me défigurait et me faisait inhumain.

Au bout de quelques jours, une fois de plus, comme à Nice, un ryhme de vie s'établissait ; il scandait un contraste écœurant entre le silence du Palatin et la jacasserie mondaine. Edwige, qui m'avait observé à Nice, avait vu qu'il fallait m'arracher dès l'abord à une routine de sauvagerie où je ne pouvais nourrir que de mauvais desseins contre elle : elle avait résolu de me faire circuler un peu dans le monde. Elle débuta par un déjeuner chez la princesse Pinto.

C'était, bien sûr, une Américaine, comme la moitié des princesses italiennes. Du genre le plus agité, le plus provocant, le plus éreintant. Ces parvenues, qui ne sont jamais sûres d'elles, sont tout le temps sur la défense la plus agressive ; introduites dans un air raréfié, où les mines et les attitudes sont depuis 1789 fort restreintes, elles désespèrent d'accorder à ces tons effacés leur rutilance roturière et elles se résignent à détoner, à extravaguer.

Cette vieille princesse Pinto était célèbre par ce qu'on appelait ses folies. C'était de faire semblant de parler à tort et à travers, de recevoir n'importe qui, de jeter l'argent par les fenêtres et de perdre la tête pour celui-ci ou celle-là. En somme, rien de tout cela n'allait fort loin, mais les Italiens de pur sang avaient leur compte de scandale et de mépris secret. Au fond, elle haïssait tout ce monde dont elle ne pouvait se passer, se sentait obscurément prise au piège : je le vis bien à certains regards qu'elle échangea avec les miens. Enhardie par ma présence, elle lança même quelques réflexions sur l'inutilité de la jeunesse princière dont étaient ses fils : l'un était ivrogne et l'autre ne valait guère mieux.

Il y avait à ce déjeuner quelques jolies femmes que je retrouvai par la suite et qui pouvaient seules me consoler de tant d'ennui et de mécontentement. Mais l'impression n'en fut pas moins désastreuse : je reçus quelques invitations et l'idée que ma vie allait prendre le tour de ce monde-là me jeta dans un tel désespoir et dans une telle fureur que dès le soir je fis une scène à Edwige.

Je lui annonçai brutalement que je n'allais pas rester à Rome, que j'avais décidément compris que notre liaison était absurde, qu'elle ne pourrait jamais me donner à jouir que de ses moments perdus, que son existence en dehors de moi me paraissait si insipide que j'en avais dans ma bouche, même quand elle était dans mes bras, un goût écœurant, que je n'étais pas fait pour ce rôle subalterne de sigisbée cantonné dans un coin et que la dernière volupté et la plus durable était le regret que j'aurais d'elle dans ma solitude retrouvée.

Au fond, il me semblait suffisamment posséder son essence maintenant pour pouvoir me retirer. Un jour on a fait mon horoscope et on m'a dit que j'étais un collectionneur. Horrible révélation, mais terriblement vraie. Je n'en fus pas moins tout étonné quand cela me fut dit : j'étais encore assez jeune pour croire que je courais après l'absolu et que ce n'était pas ma faute s'il m'échappait.

Je fus fort surpris et bouleversé de ce qu'Edwige alors me manifesta. Elle qui était si pâle, pâlit encore. Elle était en déshabillé dans ma chambre et je vis jusqu'à la chair de ses seins perdre leur belle couleur d'ambre.

— Ne faites pas cela, me dit-elle.

Bien que déconcerté et troublé, j'insistai sur le ton le plus rigoureux.

— Ne faites pas cela, je vous en supplie.

Il y avait soudain dans ce mot un accent vraiment déchirant.

— Quoi ?

— Je vous en supplie, ne me laissez pas. J'ai tant besoin de vous, je suis si seule.

Elle était parfaitement humble, dénuée de toute vanité et de tout amour-propre. C'était simple et vrai.

D'un seul coup, je fus désarmé et attaché à elle comme je ne l'avais pas encore été. Tout ce que je pensais l'instant d'avant des mondains et des mondaines était aboli : ils bénéficiaient tous de cette droiture d'expression. Car je ne pouvais croire qu'elle eût une nature si exceptionnelle. Ainsi donc voici peut-être ce qu'ils cachaient tous, plus ou moins. A la veille de la guillotine, Marie-Antoinette n'avait-elle pas découvert une nature profonde ?

Je la pris dans mes bras et la traitai avec une infinie considération. Nous fîmes l'amour pour la première fois d'une façon intime, vraiment charnelle, c'est-à-dire vraiment spirituelle.

Je crus pendant vingt-quatre heures que tout allait changer, et elle aussi. Là-dessus, par bonheur, il y eut un deuil de cour qui réduisit beaucoup les obligations de toute sorte dont elle s'encombrait. Elle m'avoua d'ailleurs que ces obligations avaient un caractère que je ne soupçonnais pas et qui me déconcerta. Elle avait assez peu d'argent, ni elle ni son mari n'étaient riches, et leur train était forcément en disproportion avec leurs ressources : alors elle faisait le mannequin.

— Tu m'as traitée de mannequin, un jour, tu ne croyais pas si bien dire.

Elle recevait des robes d'une couturière de Paris et les montrait dans les capitales. Cette couturière était une artiste avisée, mais avait-elle besoin de l'être pour mettre la main sur cette déesse ?

Je m'attendris en pensant qu'elle était un peu une aventurière, et cet attendrissement s'accentua quand, quelques jours après, déjeunant chez un pingre jeune homme, qui était secrétaire à l'ambassade de France, je l'entendis murmurer au bout d'une heure ou deux de tours et de détours, que la comtesse Fahvésy avait toujours dans ses relations un financier ou deux.

— Mais vous la connaissez, continua-t-il du ton le plus cafard.

— Oui, fort bien, et je lui demanderai si c'est exact, au sens où vous l'entendez.

Le pingre jeune homme prit un air plus pingre encore : c'était l'aigre clerc de notaire pris en flagrant délit de lettre anonyme dans une très petite et très horrible ville de la province française.

J'observai dès lors Edwige avec une admiration pieuse. L'idée qu'elle était tout à fait dans la pratique une aventurière l'embellissait à mes yeux.

Voyant que les grandes réunions ne me convenaient guère, Edwige essaya de former autour de moi un petit cercle avec quelques-uns de ses amis susceptibles de moins me déplaire ; nous allions dîner à droite et à gauche à la manière parisienne dans de petits cabarets aux fameuses pâtes. J'appréciais beaucoup le vin d'Orvieto, plus sec que d'autres.

Il y avait un prince romain, un comte prussien, un journaliste anglais, une ou deux belles.

Le prince Fabio passait pour fort intelligent dans son milieu et il est vrai qu'il avait l'esprit assez délié. Mais que m'importe un esprit qui se délie, mais qui ne se re-lie pas ? Il faut pour cela une virilité qui manquait tout à fait au prince Fabio. J'étais un roturier qui avait beaucoup lu l'histoire et qui se faisait une trop haute idée sans doute des ancêtres du prince, de ces Fabii, ininterrompus peut-être depuis trois mille ans ou guère moins. Mon scandale était grand devant l'absence chez cet aristocrate d'un désir furieux du commandement. Comment est-ce qu'un homme ose encore porter un nom qui oblige et accepte de ne pas être à la tête non seulement de son pays mais de l'Europe ? Qu'il change de nom, qu'il s'appelle Dupont ou Durand et qu'il cesse de me regarder avec une plus ou moins secrète hauteur !

Le prince Fabio tirait une maigre consolation de tous les bavardages qu'il faisait contre le fascisme : c'est ainsi que depuis quelques siècles ses pareils cancanent contre les rois et contre les peuples et contre les dictateurs, contre tous ceux qui les ont dépossédés. Du reste, Fabio se plaignait beaucoup plus en personnage de la démocratie qu'en personnage de l'aristocratie. Trait grotesque : il regrettait la situation de son père qui avait eu un haut poste honorifique dans l'ancien régime. Il regrettait cela beaucoup plus que la situation de ses aïeux qui tenaient garnison dans Rome.

Le comte Von Pfalhl-Bourgogne était une autre caricature blessant tout ce que j'avais mis enfant dans le mot d'aristocratie. D'origine française, d'une de ces familles qui dans l'Europe féodale étaient à cheval sur le Royaume et sur l'Empire et qui avaient un titre du Saint-Empire reconnu par le Royaume de France, il était d'une branche qui avait opté après l'émigration pour l'Empire et qui était ensuite devenue prussienne. Voilà donc des gens qui d'Européens étaient tombés à la particularité d'un pays. Ce qui me plaisait en lui, c'était qu'il se rebellait contre ce qu'il considérait bien comme une déchéance, mais ce qui me déplaisait c'était qu'il ne poussait pas sa rébellion à des conclusions décisives. Il aurait pu déduire de son expérience une critique exemplaire des étroitesses du nationalisme démocratique et moderne, venir à Genève, imposer aux regards son cas si parlant au lieu de se lancer dans le communisme — enfin grâce à une métamorphose faire revivre son mythe ancien dans un mythe nouveau. Mais il se contentait d'être antiquaire, de vendre aux Américains des chasubles, et d'user dans les dîners en anecdotes sa science historique.

Le journaliste anglais représentait une autre sorte de destitution. Petit-fils d'un gros et célèbre homme d'affaires anglais qui avait brassé d'énormes intérêts mondiaux, causé de terribles massacres et puissamment accru l'Empire, il était cadet de cadet et fort désargenté : voilà qui était excellent. Mais il s'était fait journaliste et représentait dans les capitales un vieux journal de la Cité : cela était moins bien, car ce journal n'avait plus qu'un sens vétilleux et sénile du destin impérial et ce garçon qui était fort pénétrant et voyait les périls monter à l'horizon, se pliait aux consignes imbéciles de ses directeurs et pour leur complaire émasculait horriblement son sens prophétique. De plus, comme le prince, il avait des goûts efféminés, ce qui augmentait ma gêne.

Je souffrais parmi tous ces personnages qui étaient bannis du sentiment vrai de la force, de la victoire et qui se consolaient si aisément avec de gentilles manières, des allusions lointaines et frelatées et des mignardises féminines.

Et voilà comme je vivais vers l'année 1926. Au lieu d'être à Moscou, auprès du Kremlin, ou à Munich auprès de la Maison Brune, ou à Chicago dans cet étrange monde des gangsters avant-coureur d'un nouveau monde américain, j'étais à Rome et je soupçonnais à peine l'existence de Mussolini. Comme mon mécontentement et ma hargne pouvaient paraître puérils à mes interlocuteurs !

Je me promenais le matin au Palatin ou dans un musée, je déjeunais seul ou avec Edwige et quelques autres. Je voyais Edwige l'après-midi, pas tous les jours, je dînais dans le monde. Pendant les premiers temps, en dépit de mes protestations, j'y allai quelquefois. J'avais de la curiosité, le désir tout au moins de vérifier ce que je ne devinais que trop bien. J'y fus aidé par l'arrivée d'un couple que j'avais connu. C'était un Anglais marié à une Russe ; ce fils de lord s'était fait antiquaire rue Saint-Honoré, il avait épousé une belle Russe qui était mannequin. Ils étaient d'une beauté impeccable tous les deux et pour prolonger le plaisir que j'avais à les contempler je les suivais partout. Cela me fit faire le tour des princes, des ducs et des marquis. J'éprouvais auprès de ce grand blond et de cette grande blonde une délicieuse détente : tous mes péchés m'étaient remis, je cessais de me révolter et de me convulser contre l'ordre des choses. Du moment que le monde contenait un peu de beauté, tout le reste pouvait lui être pardonné. Quand j'arrivais dans une soirée derrière Edwige, lady William et William je voyais tout sous leur rayonnement et les palais romains reprenaient leur antique signification.

Le caractère admirablement généreux et droit d'Edwige me semblait être aussi celui de William et de Kyria. Avec de tels amis, je vivais donc au sein de l'opulence morale et je crus pendant quelques jours que cette opulence s'étendait au loin. Les salons se peuplaient de figures nobles et charmantes. Je m'intéressai à trois ou quatre femmes, à deux ou trois hommes de la société qui me paraissaient plus gentils que les autres. Il y a dans cette race italienne une grâce de manières, une noblesse d'attitude qui reparaît assez souvent. Que m'importait le fond des cœurs, et d'ailleurs il me semblait que ce fond était tout ouvert et assez candide.

Sans doute à ce moment étais-je presque heureux. Voilà, du reste, un mot qui est tout à fait impropre, car pour moi il ne s'est jamais agi de bonheur. Certes, j'y ai vaguement cru de loin, j'en ai parlé dans des accès d'enthousiasme, je me le suis promis, je l'ai promis à des amantes, à des amis. Mais, en somme, je ne l'ai jamais cherché d'un zèle bien pressant. Ce que je n'ai pas cherché parce que je l'ai toujours eu, ç'a été la jouissance, la jouissance intime de la vie. Le bonheur, c'est quelque chose de trop vaste et de trop vague, une harmonie universelle qui est de l'ordre divin plutôt qu'humain. Je choisis le mot jouissance pour signifier ce que j'ai voulu et ce que j'ai eu. Je n'ai pas joui de *moi* dans la solitude de mon cœur, je suis peu attaché à un moi, bien que puisse paraître le contraire dans mes moments de dépit et d'envie — j'ai joui de la vie dans le passage de ma conscience. J'ai joui sans cesse et sans regret. Et la jouissance dont je parle est faite d'un mélange indélébile de peine et de joie, d'angoisse et de quiétude, tout cela dans une immobilité prodigieuse. Voilà le prodige de ma vie, mon immobilité. Il est vrai que j'ai mis bien du temps à comprendre que ce prodige était ma raison d'être et à le justifier simplement et pleinement aux yeux de ma conscience. J'en ai eu honte souvent, j'ai été inquiété, attiré par le contraire de ma nature, j'ai rêvé d'une action qui eût été une agitation. Etant inapte à cette agitation, j'ai cru que j'étais inapte à l'action. Ce n'est que du jour où j'ai reconnu, admis, approuvé en moi l'immobilité que j'ai pu en même temps reconnaître le principe d'action qui était dans cette immobilité. Disons plutôt stabilité, alors, qu'immobilité.

La monotonie de mes retours à certains principes constituait peu à peu la fermeté de mon attachement à ces principes, par exemple au principe de la force. J'ai toujours partout décelé et déclaré la force : dans une femme, dans un homme, dans un peuple. Je n'ai aimé que les femmes qui étaient fortes par leur tempérament comme l'infirmière, l'Algérienne, B., par l'évidence de leur beauté comme Edwige, par l'infrangible puissance qu'elles tiraient de leur type racial et social comme Dora, la Bostonienne, l'architype saxon. Je me suis profondément incliné devant les amis que je m'étais choisis parmi mes supérieurs, inclinaison sans bassesse ni abandon, car ensuite je me suis écarté d'eux, à mon dam et à mon regret, pour que soit respecté le principe de ma vie autant que le leur. Et si j'ai admiré les Anglo-Saxons, les Allemands, les Russes plus que les Français, c'est que je ne pouvais épargner à mon peuple la sévérité que j'appliquais à moi-même. Cela ne m'a empêché de sentir de façon aiguë le génie français dans ce qu'il a d'inattaquable, parfaitement à l'abri des injures du temps.

Je fus plus qu'en état de jouissance, je fus presque heureux pendant quelques jours, très peu de jours, parce qu'Edwige était belle et noble, parce que Rome était belle, parce que William et Kyria étaient beaux, parce que la princesse Carrera était belle.

Parmi les jeunes femmes qu'Edwige me fit connaître il y avait la princesse Carrera. Elle était belle, d'une beauté qui venait avec diligence et profusion faire contraste avec celle d'Edwige. Je voyais maintenant Edwige sous un tout autre jour que celui où je l'ai montrée au début de ce récit. Soit à cause de la fausse couche qu'elle avait subie, soit parce que je la considérais non plus d'un œil surpris mais d'un œil averti, longuement posé ; elle me paraissait de plus en plus maigre. Certes, la structure de ses os, de ses muscles et de ses tissus gardait son admirable ampleur secrète, mais quelque chose investissait tout cela et l'émaciait. Au point que je m'en inquiétais, que j'y trouvais le prétexte d'un soupçon. Ne prenait-elle pas des drogues comme le prince polonais ? N'avait-elle pas un autre amant que moi, ou d'autres amants, ce qui devait la fatiguer ? Je posais des questions à son amie intime laquelle était toute gaîté et pétulance, toute extériorité ravie et qui ne put me mépriser parce que sa joyeuse indulgence sautait par-dessus les êtres. « Mais non, fit-elle, Edwige simplement ne mange pas pour se tenir maigre. Et si vous ne voyez pas qu'elle est attachée à vous, vous ne la méritez guère. »

Cette duchesse Sanzio avait pour amant un pianiste fort célèbre, qui était à ce moment en Amérique. Je m'étais avisé un jour de me demander si l'exemple de prendre un amant de ce genre n'avait pas influé sur Edwige. Sans métier, sans but particulier, je passais pourtant pour une sorte d'intellectuel ou d'artiste ! Je pouvais à la rigueur tenir lieu à Edwige de pianiste. Je ne fus nullement froissé par cette idée. Car je savais bien, depuis toujours, que dans tout amour il y a une acquisition sociale. Chacun veut conquérir dans l'être aimé un certain aspect de la société, nouveau ou qui confirme une préférence déjà manifestée. Cela n'empêche pas une dilection plus intime.

Pour en revenir à la princesse Carrera, elle avait même structure qu'Edwige, ample et ferme, mais par là-dessus beaucoup plus d'épanouissement et de magnificence — ce qu'Edwige se refusait, par choix et volonté, d'après la princesse Sanzio. Je ne pouvais, je ne songeais nullement à me priver de m'ébaubir devant cette belle corbeille de fruits admirablement stylisée comme ce motif qui revient si souvent dans l'ornementation « Renaissance ». En contrepartie, il y avait chez elle beaucoup plus de restriction personnelle que chez Edwige, plus d'égoïsme, plus de complaisance en soi-même, d'infatuation, de l'avarice. Ne souhaitant que regarder cela du dehors, je ne m'en froissais nullement. Bien à l'aise — pour quelques jours — dans le cœur d'Edwige, je pouvais me donner le spectacle de cette nature qui rejoignait pour moi celle des putains que j'avais silencieusement consommée. Je faisais la sourde oreille à tous ses propos qui suaient le lucre, la lésine, l'envie. Cela ne pouvait pas m'étonner moi qui avais tiré pour une nuit des music-halls ou de chez les peintres des Vénus, des Junons qui sentaient et parlaient comme leurs mères, femmes de ménage ahuries par la recherche du plus modeste gain et ravagées par l'envie de leur voisine.

Il y en avait d'autres, il y en avait une avec des yeux de violette, dont j'ai oublié le nom et qui toujours un peu en arrière de notre cercle mettait une fausse douceur, une fausse finesse, car on devinait que derrière ces prunelles de délice il n'y avait qu'une âme vulgaire et acagnardée.

Ainsi de ce temps, je me rappelle beaucoup de choses et je m'y complais. Heureusement que ces pages n'auront jamais de lecteurs, car elles seraient rejetées par eux avec ennui. Elles ne valent que pour moi, pour moi qui maintenant perds la mémoire. C'est-à-dire que je prête si peu d'attention à tout ce que je vois maintenant que je suis voué à l'oublier bientôt. Mais dans ce temps-là j'achevais de découvrir la vie, j'étais encore sur l'œil.

Une autre femme m'avait été indiquée d'un doigt railleur par ces mondains parce qu'elle avait été la maîtresse de d'Annunzio. C'était une princesse napolitaine. Encore une. Que de princesses. Il y en avait là presque autant que dans l'émigration russe. Elle était fort malade et mourut peu de temps après, d'une maladie qu'on disait infâme. Elle avait sans doute été belle, mais ses traits ne paraissaient guère s'en souvenir ni son esprit des propos bouillonnants qui l'avaient un temps recouvert. Les hommes brillants laissent derrière eux de sinistres débris de femmes... et d'hommes. Pendant une heure je m'acharnai à réveiller en elle sa propre beauté et celle de l'artiste qui l'avait traversée. Elle sentit ce regard et manifesta une fermentation lointaine à laquelle je me troublais un peu au point que j'eus l'idée de me mettre dans un lit avec elle, par péché, pour tirer encore une flamme du dernier tison.

Pourquoi n'allais-je pas voir le vieux Gabriele ? Mais je n'ai aucun goût des hommes célèbres : je les ai fuis comme j'ai fui les plus fameuses belles femmes à cause de toute cette rouille qui est sur eux. Ce n'est qu'à mon corps défendant que j'en ai frôlé quelques-uns et je n'ai fait aucun effort pour solliciter leur intime réveil. Je préfère avoir connu quelques esprits obscurs, qui ne devaient être dérangés que plus tard par la gloire et qui m'ont donné leur innocence relative et plus qu'à demi tournée vers le viol.

XI

Il y eut un moment où je parus apprivoisé et où Edwige put croire qu'elle me garderait longtemps à la chaîne. Comme je me plaignais de la banalité de ma chambre d'hôtel, elle me proposa de louer un appartement. Nous en visitâmes quelques-uns. J'aime beaucoup ce passe-temps qui me permet d'imaginer d'autres trantrans que ceux que j'ai encore pratiqués.

Un entre autres me fit rêver, il était dans une assez vieille maison de la Via Tarpeia et ouvrait ses fenêtres sur le Forum. Mussolini a depuis, je crois, balayé ce charmant recoin pour étendre ce square désertique où il a vraiment tenté d'évoquer en permanence les ombres d'on ne sait plus quelle Rome. Je fus charmé par la simplicité rustique des trois ou quatre pièces où avait logé un Monsignore, et auparavant la Duse. Je me demandais ce qu'avait bien pu être réellement la Duse, à travers les charlataneries de Gabriele et les siennes propres. Du reste, je me moquais pas mal de mes prédécesseurs et n'avais aucun espoir de revenants. Je me penchai à la fenêtre et trouvai d'abord que le Forum était un jardin calme qu'on aurait plaisir le matin à trouver sous ses yeux. Certes, il était un peu encombré de vieux cailloux, c'était comme un potager encaissé et autrefois accablé par une avalanche. Mais ce calme était le calme d'un cimetière et ouvrir ses persiennes sur un cimetière n'est pas donné à tout le monde.

Je fis là ce que j'aurais dû toujours faire avant de louer un logis, je me procurai la clé et y passai une nuit sur une paillasse pour épier les bruits particuliers à la maison, ses odeurs, la familiarité des palpitations et craquements. Tous ces cailloux sous la lune étaient assez piteux. Quelle banlieue désolée et sans âme était-ce ? Je me méfie des reconstitutions historiques. Ce qui est mort est mort, et ce que je goûte au Parthénon, c'est la matière intacte du marbre, la jeunesse de cette matière qui est belle en elle-même, mais c'est ailleurs que j'appelle Sophocle. A l'aube, je me navrais longuement sur mon potager sans légumes, sur ce coin de « fortifs » comme il y en avait autour de Paris dans ma jeunesse. Et puis, je vis apparaître le premier touriste, errant aussi sot que dans une église, aussi aveugle, avec à la main un de ces absurdes paroissiens, ne comprenant rien au sacrifice de la messe et venant marquer on ne sait quel repère d'une superstition idiote.

Je m'en allai et ne louai pas l'appartement. Mais d'ailleurs l'argent commençait à me manquer et mon imagination infertile ne me montrait aucun moyen d'en gagner sur place.

Edwige, qui ignorait tout, bien sûr, de l'archéologie, mais qui avait beaucoup vécu en Italie — sa mère américaine avant d'être mariée au comte Fahvésy l'avait été à un Florentin et l'avait ramenée dans son enfance sur le théâtre de ses premiers exercices européens — voulut me faire les honneurs de la ville et me mena aux environs. J'étais fort inerte et marquais fort peu de curiosité. Dans ce temps-là je mettais un malin plaisir à saboter mes croyances et à négliger des chances qui peut-être ne se retrouveraient jamais. Mais sabotais-je vraiment ? Ne m'assurais-je pas au contraire sur l'essentiel ? Je savais que j'avais l'esprit lent et qu'il me fallait répéter une impression pour y assujettir à fond ma mémoire : plutôt que de parcourir au galop les trois cents ou quatre cents églises de Rome (je fis de même plus tard pour les quatre cents églises de Moscou), incruster à jamais dans la vie de mon âme chaque pauvre arbre du Palatin puisqu'il me plaisait et chantait aisément en moi — et quelques statues, çà et là. Et puis, la Chapelle Sixtine, toutefois. Et cette fontaine, sur la place de je ne sais plus quoi, qui me fait songer avec une amitié désespérée à Nietzsche, si seul, si perdu au nom de toute l'humanité parmi les étoiles. Rome vivante, si destituée qu'elle me fût, me touchait plus que tel grand cadavre de ses charniers comme les Thermes de Caracalla : aussi bien rêver sur les futurs débris de n'importe quelle bâtisse de notre temps.

Quelles furent nos promenades ? C'était l'hiver, il n'y avait pas tous les jours du soleil, mais bien souvent de la pluie et du froid assez gris ; cela ne m'encourageait guère. Nous allâmes un jour à la Villa Hadriana. Je n'en ai aucun souvenir, mais plutôt de la conversation que nous eûmes dans la voiture en allant et venant. J'étais en veine de confidences : je lui disais les fausses indifférences, les défenses, les défiances de mon cœur. Je m'intéressais plus à elle, puisque soudain je devins jaloux, moi qui ne l'avais pas été du tout jusque-là, qui croyais ne plus jamais l'être ayant tout épuisé sur Dora.

Ce jour-là, parce que nous avions été assez longuement seuls, je me mis à songer plus activement à tous les hommes qui avaient été ses amants, à ceux qu'elle m'avait dits, à ceux qu'elle ne m'avait pas dits. Quelqu'un à Paris m'avait dit qu'elle et son amie, la preste duchesse Sanzio, venue une fois en goguette à Paris, faisaient monter dans leur appartement meublé les chauffeurs de taxi qui les ramenaient de Montmartre. Cela ne me brûlait nullement le cœur. Je n'y croyais pas ou, y croyant, je voyais le hasard glissant sur cette chair de marbre. Que peuvent les rôdeurs du square contre le marbre de la statue ? Et pourquoi n'aurait-elle pas eu les mêmes goûts assez crapuleux que moi ? C'était plus commode de songer à ceux qu'elle m'avait dits, et surtout à celui que je connaissais. J'interrogeai les visages italiens qu'on me présentait me demandant : celui-ci, celui-là ? Mais j'y revenais à celui que je connaissais, à celui de ce Squandrel qui m'avait présenté à elle au *Jardin de ma Sœur*. C'était aussi à Rome qu'il avait été son amant. Connaissant maintenant à fond la technique de la jalousie, cette fois-ci je l'employais à froid ; ce n'était plus l'invention déchirante comme avec Dora, ou l'une des deux autres que j'avais aimées avant Dora. De mille questions, je parvins à faire jaillir une aventure mondaine assez fade, plus propre à me dégoûter d'Edwige qu'autre chose. C'était parce que mon cœur restait mort depuis Dora, car la jalousie certes ne se soucie pas de la qualité des matériaux qu'elle emploie et construit une maison de supplices avec n'importe quoi, et surtout avec ce qui est le plus vil parce que c'est le plus blessant.

Ce Squandrel était encore un de ces aristos qui provoquaient ma curieuse hargne de plébéien. Au fond, aimais-je vraiment l'idée d'aristocratie ou bien sournoisement n'étais-je pas heureux de pouvoir la frapper dans toutes les incarnations que j'en voyais et n'en avais-je inventé la hautaine théorie que pour mieux poursuivre dans les hommes la démonstration de son impossibilité. Ce Squandrel avait une velléité politique, affublé d'un des noms les plus voyants de l'histoire de France, il essayait avec beaucoup de platitude de se faire admettre dans les bonnes grâces des politiciens démocrates. On le voyait renouveler dans les couloirs du Palais-Bourbon la courtisanerie des antichambres de Versailles. Cela me tapait sur les nerfs qu'il n'imaginât rien d'autre que d'user encore là des effets du snobisme et c'était comme marquis de Squandrel, fils du duc de Bragues, qu'il gagnait les députés radicaux ou socialistes, tout rougissants dans la minute première, mais bien contents dans la minute seconde de constater qu'ils ne pouvaient rien faire pour lui puisqu'il était si frivole, si paresseux, si inapte aux finasseries particulières de leur caste, et par-dessous, après tout, tout à fait par-dessous, si méprisant.

Je parle beaucoup ici de ce que je conviens d'appeler encore l'aristocratie, mais ce n'est qu'à cause des circonstances où m'avait mis cette Edwige dont j'ai décidé de me souvenir si longuement. Pourquoi ce si long souvenir ? Je ferais beaucoup mieux que d'écrire cent pages sur Edwige, d'écrire quatre cents sur Dora. Mais parler de Dora me fait trop peur, et n'ayant rien à faire en ces mois d'hiver de guerre, disposé enfin à céder au prurit d'écrire, à bout des détours de ma paresse, las une heure ou deux par jour de tant de livres lus, je tire encore au plus commode, au moins troublant. Peut-être est-ce une façon de m'approcher de Dora aussi près que me le permet ma terreur, et de lui rendre hommage en montrant l'état misérable où elle m'avait laissé.

Et pour ce qui est encore de l'aristocratie, je dirai que je ne pourrais en dire autant de toutes les classes, et que les hommes ne me paraissent jamais de tels monstres que quand ils peuvent — c'est-à-dire les trois quarts du temps — se définir en termes de classes. J'aurais des choses horribles à dire sur les paysans, sur les ouvriers, et bien plus encore sur les petits bourgeois, et sur les bourgeois moyens dont je fais partie. Quant à la haute bourgeoisie on ne peut trouver rien de pire. Bref, les seuls hommes et les seules femmes supportables sont les rares qui par une minute de fraîcheur, de naïveté, de passion ou d'extravagance, échappent au milieu qui les a pourtant façonnés et dont, certes, au sein même du miracle, ils gardent toujours quelque chose. Clemenceau avait des traits de minuscule hobereau.

Ce qui me plaisait assez dans l'histoire de Squandrel, telle que je l'arrachais lambeaux par lambeaux à la discrétion, au manque de mémoire, à la féminine puissance d'abîme d'Edwige, c'était le scandale qu'avec elle il avait fait à Rome. Je l'en aimais davantage, j'admirais qu'elle eût ce pouvoir, que de nouveau elle manifestait avec moi mais de façon si atténuée car je ne m'y prêtais nullement et qu'elle était incapable de rechercher ce qu'elle avait produit une fois en toute naïveté, de scandaliser ce monde. Cela l'arrachait au commun de ce monde comme malgré elle et cela donnait sans doute à mes yeux un prix à sa beauté, qui sans cela m'aurait paru fastidieuse. J'avais eu jusqu'à elle un préjugé, je l'ai dit, contre les belles femmes. Mais elle rompit la glace et après elle je me suis familiarisé avec elles et j'ai pu en aimer deux autres, une au moins, B. Il en fut ainsi parce que j'avais vu des larmes couler sur le marbre des joues si merveilleusement coupées.

XII

Je m'exaspérais à la longue de la vie que je menais et
dont j'accusais Edwige. Certes, ce n'était pas tous les
soirs que j'allais dans le monde et ce mélange de timidité et de hauteur, d'amabilité un peu trop prompte et
puis de réserve renforcée que je leur proposais, n'engageait pas beaucoup les relations d'Edwige à m'inviter.
Mais c'était encore trop pour moi.

Mon exaspération me tourna au désordre, ou fut un
prétexte pour mon désordre. Après l'artifice de jalousie
que j'avais montré contre elle, je m'étais avisé qu'elle
me rendait la pareille et qu'elle n'était pas plus jalouse
que je ne l'étais en fait. Il m'arrivait d'aller à droite et
à gauche sans elle, et de sortir avec de ses amies, et
jamais elle ne manifestait la moindre crainte.

J'oubliais que cela faisait partie de son admirable résignation à la fatalité ou au hasard de la nature de
l'homme qu'elle avait choisi ; je n'y vis plus que de
l'indifférence et de la froideur d'imagination. Je voulus
malignement la mettre à l'épreuve.

Bien sûr, je jetai mon dévolu sur la princesse Carrera.
Elle semblait d'ailleurs s'y prêter ; elle ne manquait pas
d'avoir quelque envie à l'égard d'Edwige. Quelque chose

aurait pu m'empêcher de lui faire la cour, c'était son mari. J'ai toujours été fort sensible à la présence d'un homme de qualité auprès d'une femme et cela m'a toujours paru un bon prétexte pour m'écarter d'elle, à moi qui ne demandais pas mieux que d'en trouver. Ce détachement des femmes venait certes en grande partie de la saturation sensuelle que je trouvais auprès des filles. Le prince Carrera était un aristocrate selon mon cœur et le plaisir que j'eus à le prouver prouve, je m'en avise soudain, que je n'avais pas de si noires pensées contre sa caste. Il acceptait consciemment et franchement le jugement de l'histoire, il reconnaissait qu'il ne pouvait être autre chose qu'un bourgeois, et ne faisant aucun étalage de son nom et de son origine, comptant sur ses seuls talents, il travaillait et gagnait sa vie avec beaucoup de simplicité et de talent. Il était ingénieur. Par malheur, sa femme n'était pas capable de comprendre tout à fait l'élégance et l'intelligence de cette attitude, elle dépensait plus d'argent qu'il n'en pouvait gagner et faisait trop grand étalage de son nom et de celui de son mari auprès des Américains de passage. Je ressentais cela contre elle et, dans un dîner, il m'arrivait de me détourner avec humeur de sa beauté éclatante pour converser avec le prince qui était trop fin, trop simple, trop laborieux pour ne pas paraître un peu ennuyeux. J'enrageais qu'un si charmant homme fût cocu et n'avais aucune envie d'ajouter à l'injustice. Mais il n'était pas toujours là.

Margherita Carrera avait été piquée de l'austère attachement qu'un homme avait montré pendant quelque temps pour Edwige, et maintenant elle montrait une assez sarcastique satisfaction du désordre où entrait cet homme. Elle voulut lui faciliter la trahison et lui proposa de visiter la Maison de l'Ordre de Malte. C'était une journée de soleil et Edwige, qui avait déjeuné avec moi, trouvait par trop naturel que j'allasse à cette promenade. Du reste, en général, je n'ai jamais beaucoup provoqué la jalousie des femmes. Je me suis demandé à quoi cela tenait. Sans doute au sentiment que je leur donnais dès l'abord que j'étais lointain, distrait, insaisissable. Elles doutaient trop de mon attention pour s'attendre à ma constance. Et puis, je cachais si peu mes mauvaises intentions quand il m'en venait.

J'aurais pu m'intéresser à la visite qui était un privilège, mais j'ai dit que je mettais ma malice à saboter l'état du touriste où les circonstances semblaient me placer, et Rome regorge de trop d'intérêts pour qu'on ne se défende pas contre un inévitable accablement. Je ne parvins donc pas à décevoir cette Margherita, comme il m'en vint l'intention, en n'ayant d'yeux que pour les pierres et pour la vue sur Rome qu'on a du jardin de l'Ordre et je me mis à inspecter tout à mon aise cette belle peau, cette belle taille, ces jambes vigoureuses et fines, et tant d'autres agréments. Elle se laissait regarder et avec tant de complaisance qu'il fallait que les lèvres suivissent les regards. Ce qui fut fait. Je ne sais si la chasteté avait jamais régné chez les Chevaliers, mais ce jour-là elle était absente de ces lieux.

Margherita avait l'air fort content, elle aimait la licence, elle aimait que je trahisse Edwige, comme elle trahissait son mari ; elle aimait que nous nous caressions au lieu de regarder Rome. Par contraste, elle m'apparaissait comme une image de la liberté chaleureuse et facile en face de cette rigueur prisonnière d'elle-même que figurait Edwige. Les contrastes ont toujours du bon et nous donnent un moment le sentiment d'une aération.

J'étais tout pétillant de vanité, de la vanité la plus sotte et la plus vulgaire. Les belles femmes affluaient dans mes bras, je me prélassais au cœur de cette aristocratie, de cette aristocratie que je méprisais tant par ailleurs. Par ailleurs encore, j'étais tout simplement satisfait du soleil, du secret du jardin qui regarde Rome et qui n'en est pas vu, de cette courtisane simplifiée par le plaisir.

N'allions-nous pas achever ce que nous avions si bien commencé ? Où ? Je posai la question à Margherita qui eut un sourire fuyant. Diable, elle n'avait voulu que me mettre dans mon tort. Je ne lui plaisais pas. Enfin, j'étais remis à ma place. L'engouement d'Edwige pour moi était un fait insolite qui était annulé. Par voie de contrecoup, toute cette fantasmagorie allait cesser. Cette Margherita raconterait l'incident à Edwige, tous les yeux seraient ouverts. J'entrevoyais ma liberté, cette liberté que j'attendais toujours en toute circonstance de ma vie et que j'avais même saluée au cœur du pire désastre et du pire chagrin, quand Dora sur la petite plage près du Canadel m'avait déclaré que décidément elle ne pouvait divorcer.

Songeant à tout cela, je montrai à la princesse une image où régnait un si étrange ravissement, qu'elle fut piquée et me proposa de la rejoindre deux heures plus tard chez l'ancienne amie de d'Annunzio, qui nous ménagerait un tête-à-tête. Je hochai la tête et nous sortîmes de la Maison de Malte.

Je repris possession de la rue. Cette algarade me donnait l'envie de n'en plus sortir jamais. Je voulais rester sur le sentiment amer que cette femme n'avait pas vraiment voulu de moi, qu'Edwige après tout n'en voulait guère et que tout indiquait toujours que j'étais voué à la solitude. La solitude, la merveilleuse solitude. Rome était à moi, comme Paris. Comme la terre entière. Je n'avais qu'à marcher. Qu'avais-je besoin des humains ? Ils n'étaient qu'une multiplication gênante de moi-même. J'étais seul au milieu du monde. Et le monde même n'était que le déplacement de mon cœur. Mais pourtant, pour ce qui était des choses, je voulais bien feindre qu'elles existassent en dehors de moi et donc, par cette belle soirée un peu froide, je jouissais avec une véritable frénésie des pierres de Rome, sous une belle lune électrique. Je courais d'un endroit à l'autre, voulant ramasser dans cette minute tous mes endroits préférés. Pas une seconde je ne songeai à aller rejoindre la princesse Carrera. Et pourtant elle plaisait grandement à toutes mes parties basses et je n'avais pas l'habitude de considérer comme inférieure la satisfaction de ces parties basses. Il y avait une pointe de vengeance sans doute dans ma dérobade en réponse à celle qu'elle avait esquissée. Mais surtout il y avait une joie profonde et sans mélange de me retrouver petit enfant.

Non, je n'avais pas du tout grandi depuis le temps où, enfant, je m'enivrai de mélancolie dans la cour du collège, me privant soudain de jeux et de l'amitié des autres et me prétendant voué au désastre et à la mélancolique perte de tout. Je resterai à jamais l'enfant boudeur que j'avais été.

Après tout, quelle est cette opposition qu'on fait entre l'enfant, l'homme et le vieillard ? Il n'y a jamais qu'un seul être où l'homme paraît peu, où l'enfant et le vieillard se confondent.

Mes pas ravis m'emmenèrent ainsi sur la Plaza, près de laquelle était mon hôtel. Je levais les yeux distraitement vers un bâtiment officiel. A ce moment, Mussolini ne s'était pas encore installé au Palazzo Venezia, et on m'avait montré la fenêtre de son cabinet, au second je crois. Une lumière filtrait à travers les volets, sans doute était-il là. J'imaginai un homme seul dans un bureau. Par assimilation à ma solitude, j'imaginai la sienne. Curieusement, elle ne me parut pas différente de la mienne. J'étais trop engagé dans mon enthousiasme idéaliste, dans mon délire subjectif pour opposer l'action à la contemplation. L'action de cet homme derrière sa persienne ne me paraissait pas différente de mon extase ambulante. L'un et l'autre nous étions deux solitaires, deux rêveurs. Il savait séduire les foules, je savais séduire les femmes : je ne voyais pas de grandes différences dans ces dons qui m'apparaissaient comme des facilités et des divertissements fort peu capables à la longue de distraire l'homme de lui-même.

J'allais plus loin, remontant le Corso vers la Piazza Venezia. Soudain, je vis l'heure à un cadran lumineux. Cela me sortit de ma rêverie. C'était le moment où m'attendait ou ne m'attendait pas la princesse Carrera. Mes sens engourdis tout d'un coup se réveillèrent et j'eus une envie énorme de faire l'amour, mais non pas avec elle, ni avec Edwige. Où était donc Edwige, perdue dans Rome, je ne m'en souciais guère. Non, avec une fille, naturellement. Il y avait sûrement des filles dans Rome. Je pris un taxi et expliquai au chauffeur mon besoin, il sourit gravement et me mena à la meilleure institution du genre que je lui avais demandé.

C'était à un de ces moments-là que je percevais parfaitement le caractère ascétique de ma préférence pour ces filles : je ne voulais pas me salir moralement avec cette Carrera qui m'attirait dans un piège mesquin. Je n'étais pas dupe de sa beauté apparemment généreuse, de la fausse magnificence de son corps. Et je ne voulais nullement humilier Edwige, pour qui j'avais beaucoup de respect.

Les bordels italiens comme les hôtels espagnols ont un caractère de simplicité familière ou familiale qui l'emporte sur celui assez semblable des bordels français de l'ancien genre. Il n'y a aucune affectation de vice, de l'innocence animale. La maîtresse appela trois ou quatre filles qui étaient en train de coudre. Je choisis celle qui avait l'air le plus sain et le plus placide. C'était une grande fille brune, à la membrure assez puissante, au calme front de vache. Elle se dévêtit avec pudeur, elle ne souriait pas inutilement, nous avions deux fois le droit de ne pas parler. Tout confit encore dans ma dévotion intérieure pour ce point dans mon être qui est éternellement intact, je ne marquai aucune frénésie érotique et je fis l'amour avec elle comme je l'aurais fait avec l'arc de Trajan.

XIII

Edwige et moi, nous fîmes une plus sérieuse tentative de sortie, un jour.

Les amoureux se sentent souvent étouffés dans les lacets de la société et aspirent à la campagne comme à un paradis où ils se retrouveraient Adam et Eve. Mais Adam et Eve n'ont jamais existé, il y a toujours eu des hommes et des femmes, jamais un homme et une femme. Et Edwige était impropre à la solitude, c'était une esclave de la société, dont je ne pouvais même pas dire qu'elle aimait ses chaînes, elle ne pouvait imaginer qu'on pût vivre sans ces chaînes-là. Donc, il ne s'agissait même pas de s'en aller quelques jours, mais seulement de passer une journée entière et non plus deux ou trois heures hors de Rome. La journée entière ne comportait même pas la nuit. D'ailleurs, nous n'étions pas des amoureux à proprement parler, nous ne l'avions même pas été les premiers jours. Bien trop abrutis pour cela, moi par le chagrin ancien, et elle par la monotonie.

Il s'agissait d'aller jusqu'au bord de la mer, à travers les Marais Pontins. Mussolini n'avait pas encore jeté son dévolu sur cette région, qui était encore aux portes de Rome un désert misérable. La sœur d'Edwige avait une grande propriété de ce côté-là et une vieille Ford nous attendait à une petite gare. Nous cheminâmes sur une piste où le froid avait durci les profondes ornières. Les pneus usés jusqu'à la corde de notre pauvre véhicule ne pouvaient résister à l'impression de reliefs aussi cruels, et rendaient l'âme à chaque instant. Le chauffeur qui était une sorte de valet de pied rustique s'essoufflait à leur rendre l'âme par le canal d'une pompe asthmatique et d'un petit tuyau crevé. Il s'acharnait à cette besogne impossible avec une gentillesse sans défaut, en adressant à Edwige un sourire tendu et résigné. Cette gentillesse des Italiens, qui peut d'ailleurs faire place à une colère et à une haine aussi simples et aussi pures, me presse toujours le cœur : on sent derrière elle des siècles d'esclavage paisible.

Nous prîmes donc un temps infini pour parcourir quelques lieux, à travers des bois de sapins et de pins. Je déteste les sapins sous ces climats et cela augmenta ma mauvaise humeur. Nous arrivâmes à une métairie qui était aussi un château rudimentaire. J'aime beaucoup ces grandes et primitives maisons de campagne qui remplissent l'Italie, et qui ont d'indubitables allures seigneuriales, puisqu'elles respirent par leurs grandes fenêtres ornées d'un trait simple, une pauvreté délicieuse.

Le beau-frère d'Edwige ne venait, hélas, jamais là que pour régler les affaires du domaine, mais toutefois aussi pour chasser dans les marais. Les salles étaient nues et cette nudité me fascinait. Tandis que nous déjeunions de façon rustique, je rêvais que nous dînions aussi, à la lueur des flambeaux, parmi de grands rideaux d'ombre. Un miel de cierge aurait coulé sur le marbre d'Edwige, l'aurait oint et serait né en moi un génie qui aurait tout concassé ce marbre et en aurait gâché un mortier humain. Au milieu d'un désert de grandes dalles froides, nous nous serions enfermés dans un grand lit à baldaquin dont j'aurais bien rabaissé toutes les courtines et nous aurions été enfin seuls, nous aurions enfin connu le sacrement du silence. J'aurais contraint cette

femme à écouter le silence qu'elle portait pourtant avec
elle dans les salons où sa taciturnité était renommée.

Mais ce soir-là Mrs. W. donnait un grand dîner au
Grand-Hôtel. Quand même je ne puis pas croire que si
j'avais insisté avec une passion d'orgueil et de désir,
Edwige n'aurait pas renoncé à Mrs. W. Mais cette passion
en moi, je ne voulais que la rêver. Le dédain et la
méfiance me fermaient le cœur. Plus tard, Edwige m'a
confié qu'elle n'osait pas me proposer une escapade de
quelques jours parce qu'elle craignait que je m'ennuyasse
avec elle. C'était vrai, je m'ennuyais avec elle. Je me
suis ennuyé avec la plupart des femmes, sauf avec celles
que je n'ai vu qu'une heure ou deux, toutes nues, dans
un lit. Il faut dire que les femmes sont ennuyeuses,
parce qu'elles parlent. Ou elles bavardent, ce qui est le
moindre du mal, ou elles répètent plus ou moins habi-
lement ce qu'elles ont entendu des hommes. Je fais
exception pour quelques femmes nordiques et quelques
juives qui sont toutes tendues contre ce défaut de leur
sexe. Je fais exception, aussi, bien entendu, pour les
femmes aimées qui sont d'infinies, d'inépuisables, de
luxuriantes galeries de miroirs et d'échos.

Après le déjeuner, nous allâmes à pied jusqu'à la mer
qui était toute proche : ces marais gris et fiévreux auraient
plu à Barrès, mais je me moquais de Barrès comme d'une
guigne. Tous les livres étaient fort loin et je me débattais
avec la vie. La vie m'offrait et me refusait une figure
superbe, un symbole unique, qui était cette femme qui
marchait devant moi dans le sentier. Elle était plus belle
que jamais. Imaginez une déesse de la Grèce ou de la
Renaissance portant un tailleur beige qui ne l'encombrait en rien et ne réduisait en rien l'idée de fierté et
de force fine. Mais voilà, cette déesse au lieu d'être dans
son temple, au milieu d'une cité vivante et tumultueuse,
était comme prisonnière dans un musée ou dans la col-
lection d'un milliardaire. Et moi, dans ces années-là,

encore sous la stupeur du traité de Versailles, je n'avais pas de révolte autre que restriction mentale, et je marchais derrière elle dans le sentier en sifflotant aigrement.

D'ailleurs, aucune révolte politique ou sociale vaut-elle comme vengeance l'acceptation absolument froide, le renoncement parfaitement sardonique que j'avais alors composé. Et puis enfin, l'année d'avant, j'avais secoué Dora comme un prunier et les prunes tombées étaient amères.

Nous arrivâmes à la mer qui était aussi grise que les marais. Ce grand désert me confirma dans mon idée de renoncement sauvage. Je me dis que j'étais dans mon droit et dans mon devoir, et dans le droit fil du destin en traitant Edwige comme une statue à roulettes et en n'essayant pas de jouer les Pygmalions, car les Pygmalions auront toujours l'amertume de se souvenir que c'est eux qui ont d'abord façonné la statue. Le monde ne peut pas sortir de Dieu, ni la femme de l'homme, ni le moi du soi. La voix est vouée à l'inanité de l'écho.

Nous marchâmes un peu le long de la mer. Edwige avait-elle su ce qu'elle faisait en m'amenant dans cette désolation qui valait presque le Sahara en janvier vers cinq heures du soir quand la malédiction du froid s'ajoute à la malédiction de la pierre ? Quand on marche sur du sable flagellé par un vent aigre entre un marécage qui murmure pourriture et une mer qui crie destruction, on obtient la plus rigoureuse idée de l'univers, et cela ne ressemble pas aux illusions du chauffage central chez Mrs. W.

Je me rappelle que je me plaignais alors de l'immobilité du monde, en dépit de tous ces signes flagrants ; or nous n'étions pas loin du petit port d'Anzio où depuis...

Edwige et moi nous étions instinctivement rapprochés. Soudain elle me dit :

— Quand je suis dans un salon, je pense quelquefois à un endroit comme celui-ci.

Les bras me tombèrent. O inconnue, ô inconnue. Je me souvins de son cri dans la chambre d'hôtel quand je lui avais annoncé mon intention de fuir, et ses premiers regards secrètement anxieux à Paris. Ainsi, elle avait une âme, et cette âme bayait à côté de la mienne.

Je la pris dans mes bras et l'étreignis avec une force morale que j'avais toujours réservée avec elle. Le vent nous enveloppait et jetait sur nous une grande ablution salutaire. Je pris son visage dans mes mains et écrasant cheveux et chapeau, je dégageai ce masque admirablement blême. Ce masque était le visage le plus sincère qu'on puisse trouver, c'est pourquoi il parlait si peu. Je posai mes cils avec une piété de lèvres sur tous les endroits, assez célèbres pour moi, de ce visage, pour y reconnaître et saluer la trace d'un frémissement invisible, qui donc y avait passé et y repasserait.

Après tout Pascal avait raison, il faut faire les gestes de la religion pour que le génie de la religion descende en nous : comme les romantiques nous étions venus non sans profit aux lieux où souffle l'esprit, c'est-à-dire le vent. L'émoi nous étreignait maintenant, nous nous serrions l'un contre l'autre, nous étions comme l'un à l'autre.

Je ne pensais pas du tout à Dora, qui sur une autre plage... mais sans doute, son ombre désormais maléfique rôdait autour de moi.

Nous arrivâmes plus tard à une tour antique. Elle était toujours dans la propriété du beau-frère et elle fut ouverte par une clé qui sortit du sac d'Edwige et que sa longue main ambrée mania assez prestement. La tour antique avait été aménagée en pied-à-terre, voire en foutoire, et nous en usâmes. Mais il est probable que jamais ce réduit n'a connu autant de piété, de sagesse et de force. Nous avions compris et accepté soudain les limites de notre liaison, qu'elle arrivait à son culminement, mais qu'elle ne pouvait après cela que modestement retomber.

XIV

Je pourrais m'arrêter là. Cela donnerait du trait à ce récit qui n'en a aucun, que j'écris au courant de la plume, dans aucun souci ni aucun soin. Je sais bien qu'il y a là des matériaux pour une nouvelle ; je pourrais dégager certains de ces matériaux, les tailler, les ajuster, faire une œuvre d'art. Mais je ne suis ni écrivain ni artiste. J'écris seulement parce que je suis chez moi, l'hiver, dans mon lit, sans feu, ne sentant plus l'opium de la lecture, et que ne vivant plus guère je me rabats sur ce que je crois avoir vécu. Je le fais d'ailleurs avec l'intention sardonique de vérifier qu'en réalité je n'ai pas vécu. Aurais-je un autre sentiment, si je m'attachais à des épisodes plus vifs, si j'empoignais l'histoire de Dora ?

Il y a pourtant dans tout ceci quelque chose d'essentiellement mensonger comme dans une nouvelle, c'est que tout y est rapporté à l'amour. L'absence d'amour remplit ces pages. Mais croyez-vous que cela était le fond de ma vie. Je m'occupais de bien d'autre chose que d'Edwige ou de l'absence d'Edwige ; j'avais ma pensée. La pensée, c'est cela qui est le fond de la vie d'un homme et aucun récit n'en peut rendre l'arôme. Dans Rome, je me promenais, je songeais, je pensais. J'étais beaucoup moins frivole que ne le faisaient paraître mes gestes.

Sur le Palatin ou le Pincio, dans tel ou tel musée, sur telle place, mille pensées exquises me remplissaient sur Dieu, sur l'au-delà de Dieu, sur le monde et sur l'envers du monde, sur l'âme et ce diamant que renferme l'âme et qu'elle cache à jamais, sur les pierres, les plantes et les animaux, sur les enfants, sur les couleurs, les sons, le mots — et même sur les femmes et sur les hommes. C'est tout cela qui m'intéressait, et c'est tout cela qui est intéressant, et non pas Edwige et mon faible rapport avec Edwige.

Edwige avait été intéressante le premier jour quand je l'avais aperçue : c'était un admirable objet. Quelques jours étaient utiles pour faire le tour de cet objet, pour l'investir et le détailler dans toutes ses surfaces. Mais après ? Le pénétrer. Il était impénétrable. L'intérieur du marbre n'importe pas, c'est sa surface sculptée et polie qui importe.

Toutefois, il vint un moment en février où je me mis à frissonner. Je me trouvai seul, abandonné. Je n'avais pas de femme ; aucun cœur auprès du mien.

Ce qui contribua beaucoup à me donner ce sentiment, ce fut, si vous voulez, l'absence d'argent. Je commençais à en manquer. J'avais beaucoup dépensé dans cet hôtel Plaza et dans les petits dîners avec les amis d'Edwige. Je n'en avais plus guère à la banque à Paris. Qu'allais-je devenir ? Je ne voyais rien à faire à Rome. Il me fallait revenir à Paris, et au cinéma. Ou à toute autre besogne de fortune. Mais inventer à Rome une de ces besognes, cela n'entrait pas dans le champ de mon imagination.

Je repensais à Marianne. Je lui écrivis. Elle me répondit. Je lui disais que je la regrettais, que je trouvais que ma dérobade avait été bien brusque. Je vis qu'elle me regrettait, qu'elle songeait encore à moi. Elle était près de Cannes, dans la villa de ses parents. Pourquoi ne pas la rejoindre, là. Pourquoi ne pas passer par là, en remontant vers Paris. Elle était bien jolie, bien tiède, bien chaude. Je lui prêtais tout ce qui me semblait manquer à Edwige.

J'oubliais les femmes avec une promptitude déconcertante ; ce qui me permettait d'en refaire des images trompeuses. A peine fuies, mon imagination les transfigurait, abolissant les défauts qui m'avaient fait fuir, les ornant de perfections délicieuses, qui éveillaient en moi un grand trouble sensuel et peu à peu un délire. Déambulant dans les rues de Rome, où il pleuvait à seaux, je convoitais avec ardeur cette pêche duveteuse qu'était Marianne. Et elle était si tendre, si douce, si confidente. Après tout, j'étais un petit bourgeois fait pour les petites bourgeoises. Que m'étaient toutes ces aristocrates sans entrailles ? Et puis Rome, c'était trop beau. Plutôt la laideur de Cannes, familière.

J'annonçai à Edwige mes difficultés d'argent et la nécessité d'aller au travail à Paris. Le lendemain, elle me fit proposer une correspondance de journaux sud-américains qui était, ma foi, assez bien payée. Je lui rétorquai avec humeur que je ne savais pas écrire, que je ne le savais pas au point que je ne le voulais pas. Elle me regarda avec sa résignation des premiers jours, une résignation qui se transformait et s'épanouissait jusqu'à devenir une espèce d'admiration : j'étais vraiment impossible, parfaitement, suprêmement impossible. On ne pouvait faire mieux dans le genre du refus de vivre, d'aimer, d'être heureux. Le marbre s'émouvait d'une sympathie fraternelle devant le marbre. C'était comme un dialogue de silences stoïques entre deux statues de marbre dans un square battu par la pluie. Il pleuvait sur Rome.

Elle me dit que le printemps viendrait, que le printemps était admirable à Rome, et l'été sans égal. Qu'alors je serais conquis, vaincu. Que la chaleur sur notre marbre en ferait comme de la chair. Que nos cœurs battraient au fond de la réticence obstinée de nos molécules.

Je me rappelai qu'une poule dans ma première jeunesse m'avait baptisé du nom de *Cœur de Pierre* : cela me pinça le viscère un moment. Mais depuis longtemps je m'étais moi donné le nom de *Cœur de Lièvre*. J'étais un lièvre tout seul dans un guéret, plein d'inquiétude vaine, défaillant de la volupté d'être inquiet pour rien, prêtant par jeu ce frisson perpétuel, unique, monotone et délicieux au silence, à la solitude. Ecoutant avec une joie infinie le battement de la mort dans la vie : je n'avais besoin que de cela, de cette seule joie, écouter le seul battement de mon cœur, cette confidence continue de la mort à la vie.

XV

Il y eut un dernier jour. Le soir, je prenais le train pour Cannes, par Gênes. Nous ne nous vîmes pas dans la journée, mais un instant le soir, près de la gare. Nous ne nous voyions presque plus dans les derniers jours, nous ne faisions plus l'amour, du moins je ne me le rappelle pas. Le froid était sur nous. J'étais la proie d'une sorte d'onanisme mental ; le goût de la volupté qui ne se rouillait pas en moi, qui s'y aiguisait au contraire, s'aiguisait contre Edwige ; plus rien pour elle, tout pour je ne sais qui qui n'était jamais venue, qui ne viendrait jamais, qui n'était saisissable que sous la forme multiple de la Femme en soi qui traîne dans la rue avec les pieds de mille femmes, surchargée de milliers de seins.

Le vent de désastre qui avait soufflé au temps de Dora, soufflait encore sur moi et soufflerait encore longtemps. Vent où je me roulais avec une intime satisfaction. Il y a des désastres dans notre vie où nous étreignons mieux notre nécessité que d'aucune autre manière. Nous ne sommes vraiment personnages qu'à l'heure de notre tragédie, et sans doute promenais-je encore dans Rome le personnage de l'an passé quand, sur la Côte des Maures, m'emparant d'un moment de faiblesse de Dora qui venait de me crier : « Je n'oserais jamais m'arracher à ma

mère, à mon mari, à mes filles, à mon pays, à ma routine », je rentrai hâtivement dans l'affreuse petite villa
où je l'avais attendue et reçue, je fis ma valise, la jetai
dans ma petite voiture, et en route pour Marseille. J'aurais mieux fait de partir pour l'Italie.

Cette petite villa où Dora était venue trois fois n'était
pas chauffée. De là peut-être le désastre aussi, car le
froid glace le cœur, et les sens. Il est difficile de s'aimer
dans une chambre où règne le zéro. Peut-être que si
j'avais vraiment tenu à lier ma vie à celle de Dora, je
me serais arrangé pour la recevoir dans une chambre
chauffée.

Et ce froid maintenant à Rome jouait un rôle dans
notre estrangement. Edwige le sentait, puisqu'elle
m'avait demandé de patienter jusqu'au printemps.

Le printemps à Rome, je ne l'ai jamais goûté. Mais
j'avais eu un printemps à Venise en 1921, avec l'Algérienne. C'était tout à fait le début du printemps et il
y avait fort peu de touristes. Sur le pavé de la place
Saint-Marc, je crois me rappeler qu'une devise fasciste
était tracée en rouge. Je la foulais, presque indifférent,
à peine curieux. Ce printemps aurait pu être admirable,
mais la mort s'y glissait. Nous avions joui déjà de la
pointe du printemps dans le Tyrol, du côté de Bolzano ;
nous avions été dérangés dans notre jouissance par les
premières douleurs de mon amie. Nous étions descendus
à Venise pour y consulter un bon médecin. Il hochait
la tête, inquiet et incertain. Un an après, l'Algérienne
mourait à trente ans d'un cancer au ventre. Il faut dire
que je n'ai pas eu de chance non plus. Quand même, je
ne serais pas toujours resté avec elle.

Années d'inconscience où l'on défend son moi, sans le
connaître ; seules années où le moi existe vraiment,
comme une plante qui pousse. Après cela, avec la
conscience vient le sentiment de la répétition, du reve-
nez-y.

Les derniers jours d'un séjour dans un lieu sont empoisonnés par l'idée de départ ; on ne peut plus regarder ce qu'on ne va plus voir ; c'est pourquoi il faudrait toujours partir en tempête. J'errais machinal dans les rues de Rome, mais je n'y trouvais plus que la forme figée de mes impressions du début ; plus rien ne pouvait s'y ajouter.

Je n'ai refait qu'un autre séjour à Rome, en 1934. Mais alors la politique me poussait, me bousculait, et je ne pus faire en toute liberté mes pèlerinages intimes au Palatin, au Pincio. Du Pincio, je vis qu'une marée de maisons envahissait la plaine au-delà du Tibre. Rome devenait une ville pléthorique comme les autres.

Le soir, Edwige et moi, nous fîmes ensemble quelques pas dans la rue. Les lampadaires flattaient sa pâleur. Nous ne savions plus où nous en étions : tout était sans doute fini entre nous, mais rien avait-il jamais commencé ? Voilà la question qui nous prenait à cette dernière minute : les amants tiennent à consacrer leurs travaux, à rendre leur célébration possible dans le souvenir. « Quand même, il s'est passé quelque chose, songent-ils. Nous avons là quelque chose à rappeler, à vanter. Nous avons vécu, nous avons aimé. » Ils n'ont guère confiance que dans la mémoire pour établir la vie. En cela les littérateurs les imitent, ou ils imitent les littérateurs.

Ce serait si facile pour moi de faire de ces jours épars une nouvelle bien serrée, dans la manière de Mérimée. Il suffirait de concentrer l'intérêt dramatique sur un point, grossir ce point, tour à tour l'étirer en une ligne, articuler cette ligne, puis la faire rentrer dans ce point unique. Ou alors, selon une tout autre méthode, en remettre selon le mot d'ordre : « Il ne se passe rien, il ne se passe jamais rien. » Eh si, il se passe des choses, de temps en temps, et tout d'un coup étonnantes ; mais alors, quand on les raconte, les bonnes gens n'y croient pas, ils n'ont pas l'air de savoir que la vie est soudain plus remplie d'effets que le roman et le théâtre. Vous connaissez le mot de Péguy sur les périodes et les époques. Ici, je décris une période, 1920-1930, ce n'était qu'une période. Maintenant, nous sommes dans une époque. Mais les gens qui ont l'honneur d'être dans une époque pour la plupart n'en sont pas fiers du tout. Comme des rats, ils voudraient rentrer dans une période.

Avec une curiosité dans une longue période de pauvreté voulue, de bohème de plus en plus intransigeante, je ne pouvais absolument pas m'accommoder d'une personne aussi durement fermée aux choses de l'esprit. J'avais beau mépriser les personnes qui prétendaient lire des livres, réclamer des idiotes, je n'en étais pas moins voué à la contradiction de ne pouvoir un peu longtemps m'acoquiner qu'avec les personnes assez molles pour se laisser façonner un peu à mes manies d'homme malgré tout intellectuel et artiste. Qu'ils le veuillent ou non, les hommes de mon espèce sont bien obligés de s'arranger avec des simulatrices, les trois quarts du temps. Or Edwige était une dure. Elle se refusait carrément à lire des livres, ou à feindre de les avoir lus. Assez sottement, j'en ressentais du malaise. Je n'étais pas encore capable de passer dix ans comme j'ai fait depuis avec une femme qui se refusait animalement à tout empiètement de la représentation de la vie dans la vie et qui demeurait muette quand on prononçait le nom de Baudelaire. Ce qui ne l'a pas empêchée, bien au contraire, de goûter les poèmes de Baudelaire, dans ma bouche, comme paroles   ¹ et d'un usage immédiat et réel. De même qu'elle a joui de Van Gogh ou de Manet, comme de mouchoirs de couleur dans ses mains, ses mains honnêtes, si belles d'honnêteté.

Je voulais aussi arracher Edwige à son monde mais

---

1. Mot indéchiffrable dans le manuscrit.

Edwige me regarda, cette fois, d'un regard si sévère, le seul qu'elle eût jamais : « Eh, comme vous êtes snob, mon ami. Mon monde est comme n'importe quel monde. » Comme elle avait raison. Que me dit Edwige ? Que lui dis-je ? Est-ce que je fus digne, ou indigne ? Lui fis-je des phrases conventionnelles ? Je ne crois pas, cela ne m'est arrivé que rarement, avec des gens qui ne méritaient rien de mieux, dans les moments de grande fatigue, de grande hâte. Edwige méritait la vérité ? Quelle était la vérité ? Après tout, il n'y avait pas à dramatiser un échec qui n'en était pas un. Il n'avait jamais été question entre nous de grandes choses, il s'agissait d'une simple galanterie. Mais qui a jamais su s'en tenir strictement à une galanterie ? Qui n'a jamais dit un mot de trop ? Les mots viennent toujours embarbouiller des moments qui seraient bons, s'ils étaient simples. Le mot *amour*, principalement. Il vient aux lèvres à tout bout de champ, alors que trois ou quatre fois seulement dans une vie il devrait paraître.

Hélas, avec Edwige, je n'avais pas été indemne de cette manie, qui est mégalomanie. Quelque temps auparavant, quand ma mauvaise volonté commençait de faire son chemin sournois, quand l'envie de prendre la poudre d'escampette commençait à me poindre, j'avais fait de la démagogie. Je lui avais reproché violemment de ne rien faire pour moi, de ne pas un peu bouleverser sa vie. Je la sommais obscurément d'entreprendre avec moi quelque escapade, quelque fugue ? Voulais-je plus ? Moi, l'éternel amant des femmes mariées, j'étais toujours en état de sourde sédition, j'avais toujours l'envie secrète de déranger leurs ménages, de mettre le feu à leurs maisons, de troubler leurs maris et leurs enfants, de miner leurs fortunes. Mais là, vraiment, dans ce cas, c'était malignité sans foi ni entrain car enfin, qu'aurais-je fait d'une Edwige ? Sans compter qu'elle n'avait pas d'argent ni moi non plus, et que surtout je n'avais aucune envie d'en avoir (après l'avoir quittée, j'entrai [1].

Je donnais dans le contre-snobisme, qui est pire que le snobisme. Il me fallut arriver à quarante ans, je suis très lent, pour comprendre que tous les mondes se valent, et qu'il y a autant de convention chez les concierges ou les artistes, chez les zingueurs communistes ou les boutiquiers fascistes que chez les marquises et les banquiers. Ou plutôt je le sus de bonne heure, par l'esprit, mais je ne le mettais pas en pratique. La pratique fut une indifférence totale pour tous : les gens sont des objets, qui remuent moins que les objets, voilà tout.

1. Manque une page dans le manuscrit.

XVI

Il fut, à un moment, question d'un petit séjour à Florence. Mais comme Edwige n'osait pas y aller seule avec moi et qu'elle avait recruté comme chaperons la duchesse Sanzio et M. de Bourgogne, et que de plus je soupçonnais le ciel de Florence d'être pour lors aussi gris que celui de Rome, je ne marquai pas beaucoup d'entrain. Et à la fin cela ne se fit pas.

L'été d'avant, l'été de 1925, j'avais passé quinze jours à Florence qui avaient été fort chauds.

Dora avait quitté la France au mois d'avril. J'avais reçu le coup définitif par une lettre qu'elle m'avait écrite au mois de mai, de Californie. J'avais titubé dans Paris pendant un mois ou deux, ricanant, pleurant, buvant, horriblement, hideusement pauvre, montrant à tous mon cœur comme une maison pillée, incendiée, aux murs calcinés, aux portes disloquées. Ce n'était pas drôle de me regarder et mes amis faisaient une mine sinistre.

J'avais fini par m'en aller, je m'étais jeté comme un paquet dans ma petite voiture et je m'étais porté jusqu'à un hôtel dans les Alpes. Là, j'avais fait un grand effort pour me remettre au travail, car moi qui n'ai jamais rien publié, j'ai toujours beaucoup travaillé, et même pas mal écrit. En dehors des métiers de rencontre où j'ai étudié et éprouvé les règles de l'improvisation et aussi

celles de l'application, j'ai toujours poursuivi un certain
système de culture privée, de méditation. Ce système
d'abord fut surtout psychologique et moral, plus tard
philosophique et religieux. Comme je l'ai déjà dit, je ne
lâchai jamais tout à fait mon système et par exemple, à
Rome, au milieu de la futilité et de la mondanité, je
reprenais toujours les bribes de mon étude.

Cet hôtel qui commençait à se remplir des familles de
l'été n'était guère tolérable et la salle à manger était un
lieu de supplices, mais je m'obstinai et au bout d'un
mois, après avoir bâclé un scénario pour gagner des sous,
j'avais achevé d'enclore dans un cahier tout un groupe
de considérations sur la philosophie de l'histoire que je
cherchais à isoler depuis longtemps. Après cela, j'avais
pu regarder mon désespoir avec un regard moins vacil-
lant. J'avais changé d'hôtel, je ne savais où aller. J'étais
horriblement seul, j'avais fui mes amis à qui j'avais
donné trop longtemps le spectacle infâme de ma douleur. Par un complot très sournois et très pernicieux
contre moi-même, je me refusais au dépaysement véritable et au lieu de prendre le bateau pour les îles
grecques, je m'obstinai à rôder dans les parages où peu
à peu les réticences, les hésitations, les dérobades de
Dora m'avaient usé. Je ne savais où aller, je savais que
tous les hôtels sur la côte seraient comme celui que je
quittais, remplis de familles criardes dans les chambres
et les couloirs, soudain figées à l'heure du repas autour
des tables de la respectabilité. Fasciné, il me fallait
regarder ces humains qui ne savaient pas, qui n'avaient
pas l'air de savoir que la mort est dans la vie et que
l'amour n'apparaît dans le cœur que pour le ronger, le
détruire, ou plutôt y déceler le vide béant. Dans ce
temps-là, j'étais fort loin du divin. Le divin me travaillait sans se montrer et si j'étais mort, alors, j'aurais été
l'un de ces innombrables fruits qui tombent gâtés de
l'arbre. Pourtant, au moment de me suicider à Lyon,

pendant l'hiver, j'avais soudain atteint au fond de moi
une zone inconnue, délicieuse que j'avais appelée Néant,
à tout hasard et qui, je ne l'ai compris que longtemps
après quand j'ai découvert la pensée intérieure — laquelle
a réveillé en moi la lettre morte de la pensée chrétienne,
lettre mortifiée par la sottise et l'incurie des prêtres,
mais cette pensée chrétienne ne sera jamais même chez
les meilleurs docteurs, Origène, Denys l'Aréopagite,
saint Augustin, Scot Erigène, qu'un écho atténué de la
pensée platonicienne et surtout de la pensée védan-
tique ; c'était le soi qui sourdait dans le moi, ou un
grand Moi qui n'était plus le petit moi du subjectivisme
et de l'égotisme.

Je m'arrêtai misérablement au bord d'une route et,
regardant hébété le poteau indicateur, j'hésitai interminablement entre tant de lieux d'affliction et de componc-
tion. Enfin, j'avais fini par m'échouer dans une ignoble
auberge bourgeoise qui, encore quelques années auparavant dans la presqu'île d'Hyères était un petit hôtel
innocent. Maintenant les familles en rangs serrés y
tenaient garnison. J'avais passé là un mois, le nez dans
mon assiette ou dans la mer ou usant mes sandales
dans des petits bois de pins et de chênes-liège qui
n'étaient pas encore entièrement dévastés par la présence
humaine.

C'est alors que le coup de Dora s'était doublé d'un
autre coup. Il y a un moment dans la vie où nous avons
besoin des coups, où nous appelons, où nous provoquons
les coups. J'avais trente ans : il était temps que je fusse
frappé. C'était à peine si dix ans plus tôt la guerre avait
ouvert la plaie, la plaie que la vie doit inévitablement
ouvrir en nous et qui est toute notre vie ; elle s'était
refermée sur un point de pus qui tôt ou tard devait manifester sa puissance de mort. J'avais reçu une lettre d'un
ami, qui rompait avec moi. L'amitié se déchirait après
l'amour. Et, au fond, j'avais provoqué cette seconde

déchirure comme la première. Je gémissais parmi les pins la naissance de ma condition d'homme. Enfin, j'étais un homme sans homme, sans femme. J'étais le nu, j'étais le pauvre, j'étais l'homme.

Ce serait une longue et belle histoire à raconter que celle de mes rapports avec cet homme, de notre courte et impressive amitié — à l'âge où seulement l'amitié est possible et où elle enfonce des marques si profondes, si indélébiles — de notre rupture soudaine, consommée irrémédiablement en quelques mois, et de notre longue inimitié qui couvre presque toutes les années de notre vie. Mais ce n'est pas le lieu.

Evitant autant que possible les familles bourgeoises et baigneuses et même les quelques amis qui émergeaient de cette cohue qui de temps à autre de ses cent yeux m'observait d'un regard vexé, sournois, suspicieux, je me consumais dans ma chambre ou dans les terrains vagues, négligés par la foule, mais où quelques isolés avaient pourtant apporté des salissures : papiers poisseux et étrons. Je me consumai de regret et de rage ; mais au fond de moi-même je reconnaissais la grâce de baptême qui sourdait. Cette grâce mettait beaucoup de temps à imprégner et imbiber tout mon être. Pendant deux ou trois ans encore, je continuerais à faire les gestes de mon ancienne vie. Et c'était ainsi que je me trouvais à Rome. Mais peu à peu les forces définitives, décisives de mon véritable moi qui jusqu'ici n'avaient travaillé que dans l'ombre — sauf peut-être à quelques instants de la guerre ou dans les crises aiguës de ma jeunesse — allaient se constituer dans la lumière et s'y déployer, en attendant que beaucoup plus tard ce *moi* même après avoir été largement consommé et épuisé se disloque, se ruine, s'efface pour faire place enfin au *soi* d'avant et d'après la tombe.

Ma rébellion continue contre Edwige était un signe de toute cette élaboration. Edwige n'était qu'une peau, un lambeau de Dora que je n'avais pas encore arraché. Il devait y avoir deux ou trois de ces lambeaux.

Au bout d'un mois de ce régime, je fus furieusement las de brasser le passé, de le vanner et je cherchai un divertissement. Je vivais dans une grande chasteté et mes sens qui commençaient à se délivrer de l'envoûtement de Dora se mettaient à crier. Ils menaçaient de s'égarer dans des spasmes onaniques. Les sens restaient farouches et se refusaient à nourrir un compromis faussement sentimental. Une belle bourgeoise aux yeux verts, stupides, qui rôdait en fut pour ses frais.

Donc je résolus de me rendre à Florence. J'y étais attiré par un prétexte tout à fait bas. Avant de quitter Paris, j'y avais revu une juive entr'aperçue autrefois (qui était justement parente de cette superbe jeune fille juive que j'ai toujours regrettée et avec qui je me serais si impérialement ennuyé). Elle était abominablement riche, veuve, pas très jeune. Sa parfaite conservation grâce à l'égoïsme, l'inconscience, la bonne hygiène était un monument d'injustice. Idiote, ne lisant que Maurois et encore ne faisant que croire qu'elle le lisait, elle était convoiteuse de tout relent intellectuel et pensait trouver en moi un amant, voire un mari qui aurait fait étinceler son sexe et son cerveau. Je l'avais fait lanterner et à tout hasard lui avais donné rendez-vous à Florence.

Pour m'y rendre et être à l'aise, je vendis ma voiture et quand j'y débarquai je m'abandonnai à une joie panique. En dépit des touristes, le mythe de la ville se maintenait, enveloppé de protection par le soleil féroce. (J'ai passé une autre fois encore un mois de canicule à Florence et cela a été une des bénédictions de ma vie.)

Il me fallait courir au plus pressé, je rencontrai dans la rue un romancier anglais qui bien que pédéraste forcené me conduisit à un endroit commode et même agréable. Je ne tombai pas sur une Italienne, mais sur une de ces Yougoslaves nombreuses dans les bordels italiens et je lui passai une volée de bois vert. J'y revins l'après-midi et le soir, la tête libre, je vaquai au plaisir d'être dans un lieu où je pouvais jouir assez noblement de ma liberté recouvrée.

J'en jouis si noblement, avec quelques amis anglais qui n'étaient pourtant guère libres eux-mêmes, étant harassés par le snobisme, le surréalisme le plus convenu, que quand la juive arriva, je lui tournai le dos et m'en fus seul dans le fond d'une Toscane pauvre. J'étais somme toute heureux à ce moment-là, buvant de l'orvieto, du vermouth coupé de gin, fumant des toscanos, prenant et lâchant des hommes dans la rue, des femmes dans les maisons, ne lisant pas les journaux ni les romans, mais seulement Dante, et ne lisant même plus Dante.

Comment, ayant retrouvé ma liberté, avais-je pu me remettre à une servitude comme celle d'Edwige ? La faiblesse de l'homme est infinie, mais aussi on ne jouit du moi que par contraste, et seul le soi n'a besoin que de lui-même.

XVII

Je ne fis jamais voyage plus délicieux que celui-ci de Rome à Cannes, encore plus agréable que celui de l'été précédent de Toulon à Florence. Je fuyais, j'avais fui, mon cœur de lièvre se pâmait d'aise. Mais dans un lièvre il y a un petit dieu qui instruit par les silences de la clairière et les souffles du guéret médite sur le secret de Dieu et sur les secrets d'outre-Dieu : j'avais dans mes mains un livre précieux sur le platonisme florentin. Certes alors, je ne semblais guère prêter attention à ce doux et intime secret de l'humanité, mais en fin de ces pages se levait une senteur qui s'insinuerait imperceptible dans mon âme et qui devait y devenir ce parfum qui maintenant l'occupe tout entière. Faute de génie, faute de grâce, faute d'aucune précocité, je ne pouvais qu'aspirer à la vieillesse. Cette aspiration se manifestait activement bien qu'inconsciente de sa fin, par ce soin que je mettais à détruire les attaches. Au milieu de ma futilité, de ma sottise veillait en moi quelque chose d'irréductible et d'irrésistible, quelque chose qui avait su s'assimiler dès le premier jour le meilleur d'Edwige, sa forme, sa puissance de suggestion et qui aussitôt après avait commencé de lutter contre elle, de se délivrer d'elle. Certes, elle aurait pu me donner plus, mais ce n'était pas à moi qu'elle devait donner ce plus et je n'avais pas besoin qu'un tel plus me fût donné par elle. Je n'avais pas achevé mon mystérieux et horrible commerce avec Dora.

Je devais d'ailleurs revoir Edwige. Peu après mon arrivée à Cannes, je revis Marianne, mais ce ne fut guère que pour constater dès le premier coup d'œil que m'orienter le moins du monde sur elle c'était exercer sur mon âme l'exaction la plus vaine et la plus impie. Elle était bourgeoise sans remède et les contorsions auxquelles elle s'est livrée depuis pour échapper à ce destin n'ont fait, jusqu'au suicide, que confirmer ce maigre verdict. Toutefois, je la calomnie peut-être par ignorance, peut-être est-elle née plus tard. Mais moi je ne pouvais rien faire pour elle : je ne pouvais rien faire pour aucune femme ni pour aucun homme dans ces années-là. Dora m'avait blessé grièvement, et il me fallait guérir seul de ma blessure et en tirer lentement ma métamorphose. C'est pourquoi je rompis alors non seulement avec l'ami que j'ai dit mais encore avec un autre.

Et qu'après deux ou trois promenades languissantes avec Marianne, je revins à Paris et, faisant leur part au plus juste à de menus travaux nécessaires pour ma pitance, je m'enfermai dans la retraite la plus dépouillée et la plus studieuse. Etude non livresque. Je passai je crois le printemps le plus libre de ma vie. Aucune maîtresse, ma mémoire est remplie du bruit des oiseaux qui remplissaient le parc Monceau à l'aube. Je ne fréquentai personne ni homme ni femme. Personne n'entrait dans mon rez-de-chaussée. Une fois je restai huit jours sans parler à âme qui vive. Je me promenai la nuit et rentrai à l'aube. La volupté ne m'était pas étrangère, bien au contraire, mais étant la plus silencieuse et la plus anonyme, elle nourrissait d'une substance subtile ma méditation dont je n'aurais pu dire certes où elle allait. Mon seul péché était de m'inquiéter de cette apparente absence de direction. Et encore, je ne péchais pas souvent de ce péché.

Mais une nuit, je trouvai Edwige à ma porte. Elle était en grande toilette, horriblement décolletée, fardée à mort, transparente, baignée dans la gloire la plus blafarde. D'où sortait-elle ? Je ne le lui demandai ni elle ne me le dit. Elle entra chez moi, laissa tomber cette robe de paillettes qui ne tenait que par une mince ficelle à son épaule, et elle s'allongea comme une Ophélie souillée et vieillie sur le cours infini de mon lit.

Nous parlâmes, nous rappelâmes avec des mots indifférents notre absence de souvenirs. M'approchai-je d'elle ? Je ne sais et peu importe. Nous étions l'un et l'autre désincarnés. Elle finit par s'endormir fourbue de ses travaux du jour et moi de mon sommeil de toutes ces nuits-là, si intime.

Vers onze heures du matin, elle se leva, verte, téléphona, demanda un taxi et s'en alla en plein soleil. Ce fut un spectre superbe qui laissa ma concierge à jamais stupide.

Journal d'un délicat   7

La duchesse de Friedland   91

L'agent double   109

Le souper de réveillon   123

L'intermède romain   143

DU MÊME AUTEUR

Aux Éditions Gallimard

Romans

L'HOMME COUVERT DE FEMMES.
BLÈCHE.
UNE FEMME À SA FENÊTRE.
LE FEU FOLLET.
DRÔLE DE VOYAGE.
BELOUKIA.
RÊVEUSE BOURGEOISIE.
GILLES.
L'HOMME À CHEVAL.
LES CHIENS DE PAILLE.
MÉMOIRES DE DIRK RAZPE.

Nouvelles

PLAINTE CONTRE INCONNU.
LA COMÉDIE DE CHARLEROI.
JOURNAL D'UN HOMME TROMPÉ.

Poésies

INTERROGATION.
FOND DE CANTINE.

Témoignages

ÉTAT CIVIL.
RÉCIT SECRET *suivi de* JOURNAL *et d'*EXORDE.

FRAGMENT DE MÉMOIRES 1940-1941, précédé d'une étude sur
« Le parti unique et P. Drieu la Rochelle » par Robert O. Paxton.

Essais

LE JEUNE EUROPÉEN *suivi de* GENÈVE OU MOSCOU.
L'EUROPE CONTRE LES PATRIES.
SOCIALISME FASCISTE.
AVEC DORIOT.
NOTES POUR COMPRENDRE LE SIÈCLE.
CHRONIQUE POLITIQUE (1934-1942).
SUR LES ÉCRIVAINS.

Théâtre

CHARLOTTE CORDAY — LE CHEF.

Chez d'autres éditeurs

LA SUITE DANS LES IDÉES *(Au Sans Pareil)*.
MESURE DE LA FRANCE *(Grasset)*.
NE PLUS ATTENDRE *(Grasset)*.

Ouvrage reproduit
par procédé photomécanique
Impression S.E.P.C.
à Saint-Amand (Cher), le 24 octobre 1988.
Dépôt légal : octobre 1988.
Numéro d'imprimeur : 2057.
ISBN 2-07-071490-X./Imprimé en France.